APRESENTANDO...

ROALD DAHL

A FANTÁSTICA FÁBRICA DE CHOCOLATE

Tradução
Dulce Horta

12ª edição

GALERA
junior
RIO DE JANEIRO
2025

CAPA
Isadora Zeferino

ILUSTRAÇÕES DE MIOLO
Quentin Blake

TÍTULO ORIGINAL
Charlie and the Chocolate Factory

CIP-BRASIL. CATALOGAÇÃO NA PUBLICAÇÃO
SINDICATO NACIONAL DOS EDITORES DE LIVROS, RJ

D129f

Dahl, Roald
A fantástica fábrica de chocolate / Roald Dahl ; tradução Dulce Horta ; [ilustração Quentin Blake]. - 12 ed. - Rio de Janeiro : Galera Júnior, 2025.

Tradução de: Charlie and the chocolate factory
ISBN 978-65-84824-01-0

1. Ficção. 2. Literatura infantojuvenil inglesa. I. Horta, Dulce. II. Quentin, Blake. III. Título.

22-77944

CDD: 808.899282
CDU: 82-93(410.1)

Gabriela Faray Ferreira Lopes - Bibliotecária – CRB-7/6643

Texto revisado segundo o novo Acordo Ortográfico da Língua Portuguesa.

Direitos exclusivos de publicação em língua portuguesa somente para o Brasil adquiridos pela
EDITORA GALERA RECORD LTDA.
Rua Argentina, 120 – Rio de Janeiro, RJ – 20921-380 – Tel.: (21) 2585-2000,
que se reserva a propriedade literária desta tradução.

Impresso no Brasil

ISBN 978-65-84824-01-0

Seja um leitor preferencial Record.
Cadastre-se e receba informações sobre nossos lançamentos e nossas promoções.

Atendimento e venda direta ao leitor:
sac@record.com.br

Para THEO

Neste livro aparecem cinco crianças:

Augusto Glupe
o menino guloso

Veroca Sal
a menina mimada

Violeta Chataclete
a menina que masca chiclete o tempo todo

Miguel Tevel
o menino que só vê televisão

e

Charlie Bucket
o herói

Charlie vem aí...

Estes dois velhinhos são o pai e a mãe do Sr. Bucket. Chamam-se vovô José e vovó Josefina.

E estes dois velhinhos são o pai e a mãe da Sra. Bucket. Chamam-se vovô Jorge e vovó Jorgina.

Este é o Sr. Bucket. Esta é a Sra. Bucket. O Sr. e a Sra. Bucket têm um filho pequeno que se chama Charlie Bucket.

Este é Charlie. Tudo bem? Tudo bem com você? E com você, tudo bem? Ele tem o maior prazer em conhecer vocês.

A família toda — os seis adultos (podem contá-los) e o menino Charlie Bucket — mora numa casinha de madeira, nos arredores de uma cidade enorme.

A casa era muito apertada para tanta gente, e a vida deles era muito desconfortável. Havia dois quartos e só uma cama. A cama tinha ficado para os quatro avós, porque eles estavam velhinhos e cansados — tão cansados que nunca se levantavam.

De um lado vovô José e vovó Josefina, do outro vovô Jorge e vovó Jorgina.

O Sr. e a Sra. Bucket e o menino Charlie Bucket dormiam no outro quarto. Seus colchões ficavam no chão.

Na época do calor não era tão ruim, mas no inverno o vento soprava gelado, rente ao chão, a noite toda e era insuportável.

Eles eram tão pobres que não podiam nem pensar em comprar uma casa melhor — nem mesmo uma cama a mais.

O único da família que tinha emprego era o Sr. Bucket. Ele trabalhava numa fábrica de pasta de dentes. Ficava o dia inteiro sentado num banquinho, colocando as tampinhas nos tubos já cheios de pasta. Mas tampador de tubo de pasta de dentes ganha muito pouco. Coitado do Sr. Bucket, por mais que ele trabalhasse, por mais depressa que ele tampasse os tubinhos, não conseguia ganhar dinheiro para comprar nem a metade do que a família precisava. Não dava nem para comprar comida suficiente. Todos os dias eles só comiam pão com margarina no café da manhã, batata cozida com repolho no almoço e sopa de repolho no jantar. Aos domingos era um pouquinho melhor. Todos esperavam ansiosos pelo domingo, porque, embora comessem exatamente as mesmas coisas, tinham o direito de repetir.

Os Bucket não morriam de fome, mas todos eles — os dois vovôs, as duas vovós, o pai de Charlie, a mãe de Charlie e o próprio Charlie — passavam o dia inteiro com uma terrível sensação de vazio na barriga.

Para Charlie era pior ainda do que para os outros. Muitas vezes o pai e a mãe dele deixavam de comer no almoço ou no jantar para sobrar mais comida para ele, mas ainda não era o suficiente para um garoto em fase de crescimento. Ele tinha uma vontade enorme de comer alguma coisa que satisfizesse mais do que repolho e sopa de repolho. E o que ele mais tinha vontade de comer, mais do que tudo, era... CHOCOLATE.

Quando ia para a escola de manhã, Charlie via barras enormes de chocolate empilhadas nas vitrines das lojas. Ficava olhando com os olhos arregalados, o nariz colado no vidro, a boca cheia de água. Várias vezes por dia via outras crianças devorando, gulosas, barras de chocolate ao creme. Aquilo era com certeza a mais terrível das torturas!

Apenas uma vez por ano, no seu aniversário, Charlie experimentava um pedacinho de chocolate. A família toda economizava dinheiro para aquela ocasião especial e, quando chegava o grande dia, Charlie sempre ganhava de presente uma barrinha de chocolate, inteirinha só para ele. E toda vez que ele ganhava seu presente, naquelas maravilhosas manhãs de aniversário, guardava-o com todo o cuidado numa caixinha de madeira, como se fosse uma barra de ouro puro. Durante dias e dias ele apenas olhava o chocolate, nem tocava nele. Finalmente, quando não conseguia mais aguentar, desembrulhava de um lado e deixava aparecer só uma *pontinha* do chocolate — e mordia um *pedacinho* minúsculo, só para sentir o gosto na língua. No dia seguinte mordia outro *pedacinho*, e assim por diante. Desse jeito, Charlie fazia seu presente de aniversário durar mais de um mês.

Mas ainda não contei a vocês o segredo que torturava o pequeno Charlie, o maior apreciador de chocolate do mundo. Aquilo, para ele, era muito pior do que ficar vendo as barras de chocolate nas vitrines ou as crianças devorando chocolate na sua frente. Era a tortura mais terrível que se possa imaginar.

Na cidade, pertinho da casa de Charlie, havia uma IMENSA FÁBRICA DE CHOCOLATE.

Imaginem só!

E não era só uma fábrica de chocolate imensa como as outras. Era a FÁBRICA WONKA, que pertencia a um homem chamado Willy Wonka, o maior inventor e fabricante de chocolates que já existiu. Era uma fábrica magnífica, maravilhosa! Tinha enormes portões de ferro, era toda cercada por um muro gigantesco, soltava nuvens de fumaça pelas chaminés, e zumbidos estranhos saíam de dentro dela. Um cheiro forte e delicioso de chocolate derretido se espalhava por todos os lados, a muitos quilômetros além de seus muros!

Duas vezes por dia, quando ia para a escola e depois quando voltava dela, Charlie Bucket passava na frente dos portões da fábrica. Quando ia chegando perto, o menino começava a andar devagarinho, levantava o nariz para o ar e inspirava até o fundo aquele cheiro maravilhoso de chocolate!

Ah, como Charlie adorava aquele cheiro!

Ah, como ele gostaria de conhecer a fábrica por dentro!

A fábrica do Sr. Willy Wonka

À noite, depois de tomar sua sopa rala de repolho, Charlie sempre ia para o quarto dos quatro avós para ouvir suas histórias, e depois dizer boa-noite.

Os velhinhos tinham todos mais de noventa anos. Eram enrugados como uvas-passas, magros como esqueletos. O dia inteiro, até Charlie aparecer, ficavam amontoados naquela cama, dois de um lado, dois de outro. Sempre com toucas de dormir para esquentar a cabeça, ficavam o tempo todo cochilando, sem ter nada para fazer. Mas, assim que ouviam a porta abrir e escutavam Charlie dizer "Boa noite, vovô José, vovó Josefina, vovô Jorge e vovó Jorgina", os quatro de repente se sentavam, os rostos enrugados se iluminando com sorrisos de alegria — e a conversa começava. Eles adoravam aquele menino. Era a única felicidade da vida deles, e passavam o dia esperando a hora daquelas visitas. Muitas vezes o pai e a mãe de Charlie também entravam e ficavam encostados na porta, escutando as histórias que os velhos contavam. Assim, todas as noites, por cerca de meia hora, aquele quarto se tornava um lugar feliz, e a família inteira esquecia a fome e a pobreza.

Certa noite, ao visitar os avós, Charlie perguntou:

— É verdade que a fábrica de chocolate Wonka é a maior do mundo?

— *Verdade?* — gritaram os quatro de uma vez. — Logico que é verdade! Ora, você não sabia? É umas cinquenta vezes maior do que qualquer outra!

— E o Sr. Wonka é *mesmo* o fabricante de chocolate mais esperto e inteligente do mundo?

— Meu querido — disse vovô José, erguendo-se no travesseiro —, o Sr. Wonka é o fabricante de chocolate mais surpreendente, mais fantástico e mais extraordinário que o mundo já viu! *Todos* sabem disso!

— Eu sabia que ele era famoso, e eu sabia que ele era inteligente...

— *Inteligente!* — exclamou o velhinho. — Ele é muito mais que isso! É o *mago* do chocolate! Ele pode fazer *qualquer* coisa, qualquer coisa que imaginar. Não é verdade, minha gente?

Os outros três velhinhos balançaram a cabeça devagarinho, para cima e para baixo, e responderam:

— Verdade *absoluta*! A *maior* verdade do mundo.

E vovô José disse:

— Será que eu nunca lhe contei nada sobre o Sr. Wonka e a fábrica de chocolate?

— Nadinha — respondeu o pequeno Charlie.

— Ora bolas! Como fui deixar acontecer uma coisa dessas?

— Então conte agora, vovô José! Por favor!

— É pra já! Sente-se aqui na cama, meu filho, e preste atenção.

Vovô José era o mais velho dos quatro avós. Tinha noventa e seis anos, e não é todo mundo que consegue ficar tão velho. Como todas as pessoas muito velhas, ele era delicado, frágil e falava bem pouquinho durante o dia. Mas à noite, quando Charlie, seu neto adorado, estava no quarto, era como se ele voltasse a ser jovem. Todo o cansaço ia embora, e ele se tornava esperto e animado como um garoto.

— Puxa, que homem maravilhoso, esse Willy Wonka! — exclamou vovô José. — Você sabia, por exemplo, que ele mesmo inventou mais de duzentos tipos de barras de chocolate, cada uma com um recheio diferente, todas elas mais doces, cremosas e deliciosas do que as produzidas pelas outras fábricas de chocolate?!

— É verdade mesmo! — exclamou vovó Josefina. — E ele as manda para os *quatro cantos* do mundo! Não é mesmo, vovô José?

— É, querida, é isso mesmo! E para todos os reis e presidentes do mundo também. Mas ele não fabrica apenas barras de chocolate. Não, minha gente, não! O Sr. Wonka tem invenções *realmente fantásticas* escondidas na manga, ah, se tem! Você sabia que ele inventou um sorvete de chocolate que continua gelado por horas e horas fora da geladeira? Pode até ficar no sol quente uma manhã inteira sem derreter!

— Mas isso é *impossível*! — disse Charlie, com os olhos arregalados.

— Sem dúvida é impossível! — disse vovô José. — É completamente *absurdo*! Mas o Sr. Willy Wonka fez isso!

— Certíssimo — concordaram todos, balançando a cabeça. — O Sr. Wonka realmente fez isso.

— E tem mais — o vovô José continuou falando, bem devagarinho para Charlie não perder nenhuma palavra —, o Sr. Willy Wonka faz maria-mole com gosto de violeta, e caramelos que mudam de cor a cada dez segundos enquanto você chupa, e docinhos leves como plumas que se derretem deliciosamente assim que você os coloca na boca. Faz chicletes que nunca perdem o gosto, balões de açúcar que você pode soprar até ficarem imensos e depois espetá-los com um alfinete e chupá-los como balas. Por um método supersecreto, ele faz lindos ovos de passarinho azuis com pintinhas pretas, e quando você põe um deles na boca ele vai diminuindo, diminuindo, até se transformar num minúsculo bebê passarinho cor-de-rosa, pousado na ponta da sua língua.

Vovô José fez uma pausa e passou a língua nos lábios.

— Só de pensar, minha boca fica salivando — disse ele.

— A minha também — acrescentou Charlie. — Mas continue, *por favor*.

Enquanto eles falavam, o Sr. e a Sra. Bucket, o pai e a mãe de Charlie, entraram devagarinho no quarto e ficaram perto da porta, escutando.

— Conte a história daquele príncipe indiano maluquinho — pediu vovó Josefina. — O Charlie vai gostar.

— O príncipe Pondicherry? — perguntou vovô José, caindo na gargalhada.

— *Completamente* maluquinho! — disse vovô Jorge.

— Mas *muito* rico — ressaltou vovó Jorgina.

— O que é que ele fez? — perguntou Charlie, aflito.

— Pois eu vou contar — disse vovô José.

O Sr. Wonka e o príncipe indiano

— O príncipe Pondicherry escreveu uma carta para o Sr. Willy Wonka pedindo que ele fosse à Índia construir um palácio colossal, feito inteirinho de chocolate — disse o vovô José.

— E o Sr. Wonka construiu, vovô?

— Sim. E era um palácio lindo! Tinha cem aposentos, *todos* construídos de chocolate branco ou preto! Os tijolos eram de chocolate, o cimento também era de chocolate, as janelas eram de chocolate, e todas as paredes e tetos eram feitos de chocolate, assim como os tapetes, os quadros, os móveis e as camas. E quando a gente abria as torneiras do banheiro escorria chocolate quente delas.

Vovô José prosseguiu:

— Ao terminar a construção do palácio, o Sr. Wonka disse para o príncipe Pondicherry: "Uma coisa eu vou avisar, o palácio não vai durar muito tempo, portanto é melhor o senhor começar a comê-lo desde já." Mas o príncipe exclamou: "Que absurdo! Não vou comer meu palácio. Não vou dar nem uma mordidinha nas escadarias, nem uma lambidinha nas paredes! Eu vou *morar* nele!" Mas, lógico, o Sr. Wonka estava certo, porque logo veio um dia de sol muito quente, o palácio inteiro começou a derreter e a penetrar devagarinho no chão. O príncipe maluquinho, que estava tirando uma soneca na sala, acordou e se viu nadando num lago marrom e grudento de chocolate.

O pequeno Charlie ficou sentado na beirada da cama, olhando fixamente para o avô. Seu rosto brilhava, e dava até para ver o branco de seus olhos arregalados.

— Isso é verdade mesmo? — perguntou ele. — Ou vocês estão caçoando de mim?

— É verdade! — exclamaram os quatro velhinhos ao mesmo tempo. — É mesmo verdade! Pode perguntar para quem você quiser!

— E tem mais — disse vovô José, inclinando-se para mais perto de Charlie, baixando a voz, até se transformar num cochicho. — *De lá... ninguém... sai...*

— Como assim? — perguntou Charlie.

— *E... lá... ninguém... entra...*

— Lá onde? — gritou Charlie.

— Na fábrica do Sr. Wonka, é óbvio!

— De quem você está falando, vovô?

— Dos *empregados*, Charlie.

— Empregados?

— Em todas as fábricas — disse vovô José — há empregados circulando dentro e fora dos portões dia e noite... menos na Wonka. Você já viu uma única pessoa entrando naquele lugar, ou saindo dele?

O pequeno Charlie olhou os velhinhos um por um. Estavam todos sorrindo, mas também estavam falando muito sério. Não havia sinal de piada ou gozação.

— Então? *Você* já viu? — perguntou vovô José.

— Eu... eu não sei, vovô — gaguejou Charlie —, sempre que passo pela fábrica os portões parecem estar trancados.

— Exatamente — disse vovô José.

— Mas *deve* ter gente trabalhando...

— Gente não, Charlie. Pelo menos não *gente comum*.

— Então, quem? — indagou Charlie.

— Ahá... É isso aí... Mais uma esperteza do Sr. Willy Wonka.

— Charlie, meu filho — a Sra. Bucket chamou da porta. — Está na hora de ir deitar. Por hoje chega.

— Mas, mamãe, eu *preciso* saber...

— Amanhã, filho...

— Está certo — disse vovô José. — Amanhã à noite eu conto o resto.

Os trabalhadores misteriosos

Na noite seguinte, vovô José continuou sua história.

— Ouça, Charlie, não fazia muito tempo havia milhares de trabalhadores na fábrica do Sr. Willy Wonka. Certo dia, de repente, o Sr. Wonka pediu que *todos* fossem embora para casa, e nunca mais voltassem.

— Por quê? — perguntou Charlie.

— Por causa dos espiões.

— Espiões?

— Pois é. Todos os outros fabricantes de chocolate começaram a ficar com inveja dos doces maravilhosos que o Sr. Wonka fazia, então começaram a mandar espiões para roubar o segredo das receitas. Os espiões pediam emprego na fábrica, fingindo-se de trabalhadores. Lá dentro, cada um se encarregava de descobrir a receita de uma coisa.

— E depois voltavam para suas fábricas e contavam o que tinham visto? — perguntou Charlie.

— Provavelmente — respondeu vovô José —, porque logo a fábrica Melagruder começou a fabricar sorvetes que não derretiam mesmo debaixo do sol quente. A fábrica do Sr. Naribick começou a fazer chicletes que não perdiam o sabor depois de mascados. E a fábrica do Sr. Lesmarmoth começou a fazer balões de açúcar que a gente enchia e depois estourava com um alfinete, para chupar. E houve muitos outros casos como esses... O Sr. Wonka arrancava os cabelos e gritava: "Isso é terrível! Eles vão me arruinar! Há espiões por todo lado! Vou ter que fechar a fábrica!"

— Mas não fechou — disse Charlie.

— Fechou, sim. Reuniu *todos* os empregados, disse que sentia muito, mas que eles teriam que ir embora. Aí, acorrentou os portões e, de uma hora para outra, a Fantástica Fábrica de Chocolate do Sr. Wonka ficou silenciosa e deserta. As chaminés pararam de soltar fumaça, as máquinas pararam de chiar. Nenhum chocolate, nenhum doce mais foi produzido. Ninguém mais entrava nem saía. Até o Sr. Willy Wonka sumiu.

E o vovô José continuou:

— Meses e meses se passaram e a fábrica permanecia fechada. Todo mundo dizia: "Coitado do Sr. Wonka. Era tão bom, fazia coisas tão maravilhosas! Agora, está tudo acabado." Então aconteceu uma coisa surpreendente. Certo dia, bem cedinho, nuvens de fumaça voltaram a sair das chaminés da fábrica! A cidade parou para olhar. "O que está acontecendo?", perguntavam todos, com espanto. "Alguém acendeu as fornalhas! A fábrica está funcionando de novo." Correram aos portões para ver o Sr. Wonka dar boas-vindas aos empregados que voltavam para o trabalho. Mas os portões continuavam trancados, acorrentados como antes, e ninguém conseguiu ver o Sr. Wonka. "Mas a fábrica está funcionando", as pessoas gritavam. "Escutem! Ouçam o barulho das máquinas! Estão chiando novamente! Sintam o cheiro do chocolate derretido!"

Vovô José se ajeitou, apoiou os dedos magros nos joelhos de Charlie e murmurou:

— Mas o maior mistério de todos são as sombras que aparecem nas janelas da fábrica. Da rua, dá para ver pequenas sombras escuras se mexendo por trás das vidraças.

— Sombras de quem? — perguntou Charlie, ansioso.

— É exatamente isso que todo mundo gostaria de saber. Todos exclamavam: "Está cheio de gente trabalhando, mas ninguém entra e ninguém sai! Os portões estão trancados! É um absurdo!" Não havia dúvida de que a fábrica *estava* funcionando. E continua funcionando até hoje, dez anos depois. E tem mais: os chocolates e doces estão cada vez mais fantásticos e deliciosos. E é lógico que *agora*, quando o Sr. Wonka inventa algum doce maravilhoso, nem o Sr. Melagruder, nem o Sr. Naribick, nem o Sr. Lesmarmoth, nem ninguém é capaz de copiar. Os espiões já não podem entrar na fábrica para descobrir as receitas.

— Mas, vovô, *quem* — indagou Charlie —, *quem* é que o Sr. Wonka está usando para fazer todo o trabalho?

— Ninguém sabe, Charlie.

— Mas isso é um *absurdo*! Será que ninguém perguntou para o Sr. Wonka?

— Ele nunca mais foi visto. Ele nunca sai. A única coisa que sai daquele lugar são os chocolates e os doces. Saem através de uma espécie de alçapão, todos embrulhados, etiquetados, e são recolhidos diariamente pelos caminhões do correio.

— Mas, vovô, que *tipo* de gente trabalha lá?

— Garoto — disse vovô José —, esse é um dos grandes mistérios do mundo do chocolate. Só se sabe uma coisa: é gente muito pequena. As sombras que aparecem por trás das janelas, especialmente à noite, quando as luzes estão acesas, são de pessoinhas minúsculas, que chegam no máximo até os meus joelhos.

— Não existe gente assim — disse Charlie.

Naquele instante, o Sr. Bucket entrou no quarto. Estava chegando da fábrica de pasta de dentes, sacudindo o jornal alegremente.

— Souberam da última? — ele gritou e levantou o jornal para todos lerem a manchete:

FINALMENTE A FÁBRICA WONKA SERÁ ABERTA PARA ALGUNS SORTUDOS

Os Bilhetes Dourados

— Quer dizer que vão mesmo permitir visitas à fábrica? — exclamou vovô José. — Leia depressa o que estão anunciando!

— Tudo bem — disse o Sr. Bucket, alisando o jornal. — Prestem atenção.

Notícias da Tarde

O Sr. Wonka, o gênio da confeitaria, que há dez anos não é visto por ninguém, divulgou hoje o seguinte comunicado:

Eu, Willy Wonka, decidi abrir os portões da Fantástica Fábrica de Chocolate para cinco crianças — somente cinco, nem uma a mais. Os cinco sortudos serão recebidos pessoalmente por mim e conhecerão todos os meus segredos e magia.
No final da visita, receberão como brinde chocolates e doces que durarão a vida toda! Mantenham-se atentos aos Bilhetes Dourados! Cinco bilhetes foram impressos em papel dourado, e estarão escondidos por baixo do papel comum de cinco barras de chocolate. Essas barras poderão estar em qualquer lugar, em qualquer loja, qualquer rua, qualquer cidade, qualquer país do mundo onde os doces do Sr. Wonka são vendidos. E os cinco sortudos que encontrarem serão os únicos a visitar a minha fábrica e a saber como ela é! Boa sorte para todos e feliz caçada!

Assinado: Willy Wonka

— O homem perdeu o juízo! — murmurou Vovó Josefina.

— Brilhante! — exclamou vovô José. — Ele é um mago! Imaginem só o que vai acontecer agora! O mundo inteiro vai começar a procurar os Bilhetes Dourados! Todos vão comprar barras de chocolate do Sr. Wonka na esperança de achar um bilhete! Ele vai vender mais do que nunca! Ah, como seria emocionante encontrar um desses bilhetes!

— Sem contar todos os chocolates e doces que a gente poderia comer *de graça*, pelo resto da vida — disse vovô Jorge. — Imaginem só!

— Eles vão ter que entregar o prêmio de caminhão! — disse a vovó Jorgina.

— Me sinto mal só de pensar — disse vovó Josefina.

— Maravilha! — exclamou vovô José. — Não seria *o máximo*, Charlie, desembrulhar uma barra de chocolate e achar um Bilhete Dourado brilhando lá dentro?

— Seria demais, vovô. Mas não há a menor chance — disse Charlie, meio triste. — Eu só como uma barra de chocolate por ano!

— Nunca se sabe, querido — disse vovó Jorgina. — Seu aniversário é na semana que vem. Você tem a mesma chance do que qualquer outra pessoa!

— Acho que não é bem assim — disse vovô Jorge. — Quem vai encontrar os Bilhetes Dourados são as crianças que podem comprar chocolate todos os dias. Nosso Charlie só come um chocolate por ano. Não há esperança.

Os dois primeiros sortudos

No dia seguinte, o primeiro Bilhete Dourado foi encontrado. Quem achou foi um menino de nove anos, chamado Augusto Glupe, e seu retrato apareceu na primeira página do *Notícias da Tarde.* Ele parecia um balão inflado, tinha o corpo cheio de dobras de gordura e seu rosto era uma bola de massa com dois olhinhos espremidos, que olhavam para tudo, cheios de gula. O jornal dizia que a cidade onde Augusto Glupe morava ficou vibrando de entusiasmo pelo seu herói. Puseram bandeirinhas em todas as janelas, foi decretado feriado escolar e organizaram um desfile em homenagem ao jovem sortudo.

— Eu tinha certeza de que o Augusto ia achar o Bilhete Dourado — sua mãe disse para o repórter. — Ele come *tanto* chocolate, todos os dias, que seria quase *impossível* ele *não* achar o prêmio. Sabe, o hobby dele é comer. É o único interesse dele. Em todo caso, é melhor do que passar o tempo brigando ou coisas desse tipo, não é mesmo? E, como eu sempre digo, se ele come desse jeito é porque tem *necessidade* de se alimentar, não é verdade? Afinal de contas, tudo isso são *vitaminas*... Para ele, visitar a maravilhosa fábrica do Sr. Wonka vai ser uma *emoção*! Estamos muito *orgulhosos*!

— Que mulher antipática — disse vovó Josefina.

— E que garoto horroroso — disse vovó Jorgina.

— Faltam mais quatro bilhetes — disse vovô Jorge. — Quem será que vai encontrá-los?

Então o país inteiro, ou melhor, o mundo inteiro foi tomado por uma insana mania de comprar chocolate, todas as pessoas tentando desesperadamente encontrar os preciosos bilhetes. Mulheres entravam nas confeitarias e compravam dezenas de barras de chocolate de uma vez, rasgavam as embalagens logo, na esperança de verem brilhar um Bilhete Dourado. Crianças arrebentavam seus cofrinhos a marteladas e corriam para as lojas com as mãos cheias de moedas. Numa cidade, um bandido famoso roubou milhões de um banco para gastar tudo em barras de chocolate Wonka. Quando a polícia invadiu a casa dele para prendê-lo, encontrou-o sentado no chão no meio de montanhas de chocolate, rasgando as embalagens com um punhal. Lá longe, na Rússia, uma mulher chamada Charlotte Russe dizia ter achado o segundo bilhete, mas logo descobriram que era mentira. O famoso cientista inglês, professor Bombody, inventou uma máquina que, sem desembrulhar o chocolate, já detectava se havia ou não um Bilhete Dourado escondido dentro da embalagem. A máquina tinha um braço mecânico que se projetava e agarrava tudo o que contivesse qualquer pedacinho de ouro, e parecia ser a solução ideal. Mas, infelizmente, enquanto o professor estava demonstrando sua invenção para o público na seção de doces de uma loja, o braço mecânico arrancou a obturação de ouro do dente posterior de uma senhora muito chique que estava perto. Houve a maior confusão e a máquina foi esmagada pela multidão.

De repente, um dia antes do aniversário de Charlie Bucket, os jornais anunciaram que o segundo Bilhete Dourado tinha sido encontrado. A sortuda era uma menininha chamada Veroca Sal, que morava com os pais,

riquíssimos, numa cidade grande, muito longe. Mais uma vez o jornal publicou uma fotografia imensa da ganhadora. Ela estava sentada entre os pais sorridentes, na sala de sua casa, empunhando o Bilhete Dourado, com um sorriso que ia de orelha a orelha.

O Sr. Sal, pai de Veroca, explicou direitinho para os jornais como o bilhete tinha sido encontrado:

— Sabe, pessoal, quando minha filha disse que ela fazia *questão* de achar um dos Bilhetes Dourados, fui imediatamente até a cidade e comecei a comprar todos as barras de chocolate Wonka que encontrava. Devo ter comprado *milhares. Centenas* de milhares! Enchi vários caminhões e mandei entregar tudo na *minha* fábrica. Eu trabalho no ramo de amendoins. Tenho por volta de cem mulheres trabalhando para mim, descascando amendoins para torrar e salgar. Elas fazem isso o dia inteiro, ficam sentadas descascando. Então eu disse: "Muito bem, meninas, podem parar de descascar amendoins e comecem a descascar essas barras de chocolate!" E foi o que elas fizeram. Todos os meus empregados ficaram tirando o papel dos chocolates, sem parar um minuto, de manhã até a noite. Três dias se passaram, e nós não tivemos sorte. Foi horrível! Minha Veroca foi ficando cada vez mais frustrada e, cada vez que eu voltava para casa, ela gritava: "*Onde está meu Bilhete Dourado? Quero meu Bilhete Dourado!*" Era capaz de ficar horas no chão, esperneando e berrando, incomodando todo mundo. Bem, eu detesto ver minha filhinha triste desse jeito, e prometi que iria continuar procurando até conseguir o que ela queria. Então, de repente... na tarde do quarto dia, uma das mulheres que trabalhavam para mim gritou: "Achei! O Bilhete Dourado!" Tomei o bilhete dela e fui correndo para casa entregá-lo para minha querida Veroca. Agora, ela está toda sorridente, e a nossa casa voltou a se alegrar!

— Puxa, essa é bem pior do que aquele menino — disse vovó Josefina.

— Está precisando é de uma boa lição — acrescentou vovó Jorgina.

— Acho que o pai da menina não devia ter feito isso, não é mesmo, vovô? — murmurou Charlie.

— Ele mima demais a garota — disse vovô José. — Não é nada bom mimar uma criança desse jeito, Charlie, guarde bem minhas palavras.

— Hora de ir deitar, filho — disse a mãe de Charlie. — Amanhã é seu aniversário, não esqueça, acorde cedinho para abrir o presente.

— Uma barra de chocolate Wonka! É chocolate Wonka, não é? — indagou Charlie.

— É sim, meu filho. Óbvio que é!

— Puxa, não seria incrível se eu achasse o terceiro Bilhete Dourado? — disse Charlie.

— Quando você ganhar seu chocolate, traga-o até aqui. Queremos ver você desembrulhá-lo — pediu o vovô José.

O aniversário de Charlie

— Feliz aniversário! — exclamaram os quatro avós, assim que Charlie entrou no quarto deles na manhã seguinte.

Charlie deu um sorrisinho nervoso e sentou na beirada da cama. Estava segurando seu presente, seu único presente, com muito carinho, com as duas mãos. Na embalagem estava escrito: FUDGEMELLOW DELÍCIA DELICIOSAMENTE CROCANTE WONKA.

Os quatro velhinhos, dois de cada lado da cama, se aprumaram e ficaram olhando ansiosos para a barra de chocolate que estava nas mãos de Charlie.

O Sr. e a Sra. Bucket entraram e ficaram ao pé da cama, olhando para Charlie.

O quarto ficou em silêncio. Todos estavam esperando Charlie abrir o presente. Charlie mantinha os olhos pregados na barra de chocolate. Devagarinho, ia correndo os dedos por trás e pelos lados do chocolate, alisando-o com carinho e enchendo o quarto com o barulhinho estalado do papel brilhante.

Então a Sra. Bucket disse suavemente:

— Não fique muito desapontado, meu filho, se não achar o que está procurando. Seria sorte demais.

— Ela tem razão — concordou o Sr. Bucket.

Charlie não disse uma palavra.

— Além do mais — acrescentou vovó Josefina —, no mundo inteiro só faltam três bilhetes para serem encontrados.

Vovó Jorgina emendou:

— E não se esqueça de que, seja como for, você ainda tem a barra de chocolate.

— Fudgemellow Delícia Deliciosamente Crocante Wonka! — exclamou vovô Jorge.

— É o melhor chocolate do mundo! Você vai *adorar*!

— É verdade — balbuciou Charlie —, eu sei.

— Vamos, esqueça esses Bilhetes Dourados e aproveite o chocolate — disse vovô José. — Por que você não faz isso?

Todos sabiam que era ridículo esperar que naquela simples e única barrinha de chocolate fosse aparecer um bilhete mágico e estavam tentando, com o maior carinho e delicadeza possíveis, preparar Charlie para a decepção. Mas também sabiam de outra coisa: por *menor* que fosse a chance de encontrar o bilhete, *ela existia* e estava diante deles.

Aquela barrinha de chocolate tinha tanta chance de conter o Bilhete Dourado quanto qualquer outra. E, por isso, os avós e os pais estavam tão ansiosos quanto Charlie, embora fingissem estar muito calmos e tranquilos.

— É melhor você abrir logo esse chocolate, senão vai chegar atrasado na escola — recomendou vovô José.

— É melhor acabar logo com essa história — apressou o vovô Jorge.

— Abra, querido — pediu Vovó Jorgina. — Por favor, abra depressa. Você está me deixando nervosa.

Devagarinho, os dedos de Charlie começaram a desdobrar uma beiradinha do papel. Os velhinhos na cama inclinaram-se para a frente, estendendo o pescoço enrugado.

Então, de repente, não aguentando mais aquele suspense, Charlie rasgou o papel bem no meio... e no seu colo caiu... uma cremosa barra de chocolate marrom.

Nem sinal do Bilhete Dourado.

— Bem, é isso aí! — disse, animado, vovô José. — Exatamente o que a gente estava esperando.

Charlie levantou os olhos. Da cama, quatro rostos carinhosos olhavam para ele. Sorriu para eles, um risinho triste, deu de ombros, pegou o chocolate, ofereceu para sua mãe e disse:

— Pegue um pedacinho, mamãe. Vamos dividir. Quero que todo mundo experimente.

— De jeito nenhum — disse sua mãe.

E todos os outros exclamaram:

— Não, não! Nem pensar! É *todo* seu!

— *Por favor* — implorou Charlie, oferecendo o chocolate para vovô José.

Mas nem ele nem ninguém aceitou uma mordidinha sequer.

— Hora de ir para a escola, filho — disse a Sra. Bucket, abraçando os ombros magrinhos de Charlie. — Vamos, senão você vai chegar atrasado.

Mais dois Bilhetes Dourados

Naquela tarde, o jornal do Sr. Bucket anunciou a descoberta não só do terceiro Bilhete Dourado, mas também do quarto. DOIS BILHETES DOURADOS ENCONTRADOS HOJE, anunciavam as manchetes. FALTA APENAS UM.

— Muito bem — disse vovô José, quando a família se reuniu no quarto dos velhinhos depois do jantar. — Vamos ver quem foram os premiados.

O Sr. Bucket leu a notícia, segurando o jornal bem perto do rosto, porque não enxergava direito e não tinha dinheiro para comprar óculos.

"O terceiro bilhete foi encontrado pela Srta. Violeta Chataclete. Houve grande agitação na casa dos Chataclete quando nossos repórteres chegaram para entrevistar a mocinha sortuda — câmeras clicando, flashes piscando, gente empurrando, se acotovelando, tentando chegar mais perto da feliz ganhadora. A menina, de pé numa cadeira da sala de visitas, agitava o Bilhete Dourado com os braços levantados, como se estivesse chamando um táxi. Falava muito alto e depressa, mas não era fácil ouvir o que dizia porque ao mesmo tempo ela mascava ferozmente um chiclete! 'Sempre fui mascadora de chicletes', ela anunciou, 'mas, quando ouvi falar desses bilhetes do Sr. Wonka, abandonei o chiclete e me dediquei ao chocolate, na esperança de encontrar a sorte grande. *Agora*, óbvio, estou de

volta ao chiclete. Simplesmente *adoro chiclete.* Não posso viver sem chiclete. Masco chiclete o dia inteiro, menos por alguns minutos, na hora das refeições. Então, tiro o chiclete da boca e grudo atrás da orelha, para não perder. Na verdade, eu simplesmente não me sentiria *à vontade* se não tivesse esse pedacinho de borracha para ficar mascando o dia inteiro. Não consigo viver sem ele. Minha mãe diz que nem pareço uma mocinha e que é muito feio uma menina ficar o tempo todo mexendo a mandíbula para cima e para baixo, como eu, mas não concordo. E, afinal, quem é ela para dizer isso, porque, se vocês querem saber, a mandíbula *dela* mexe quase tanto quanto a minha, de tanto que ela fica *gritando* comigo o dia inteiro.'

'Francamente, Violeta', gritou a Sra. Chataclete lá do outro canto da sala, onde estava de pé em cima do piano, para evitar ser pisoteada pela multidão.

'Tudo bem, mamãe, não precisa ficar nervosa', gritou a menina Chataclete. 'E agora', continuou ela, voltando--se novamente para os repórteres, 'deve interessar a vocês saber que estou mascando este mesmo chiclete há três meses, *sem parar*. É um recorde, sem dúvida! Consegui bater o recorde que era da minha melhor amiga, Cornélia Prinzmetal. Ela ficou furiosa! Agora, este chiclete é a coisa mais preciosa que eu tenho. À noite, eu o deixo grudado no estrado da cama, e de manhã ele continua ótimo — talvez um pouquinho duro no começo, mas assim que eu dou umas mascadas, ele amacia de novo. Antes de começar a mascar para quebrar o recorde mundial, eu costumava trocar meu chiclete uma vez por dia. Fazia isso dentro do elevador, quando voltava da escola. Por quê? Porque eu gostava de grudá-lo num dos botões do elevador. Então, quando alguém entrava e apertava aquele botão, ficava com o chiclete mascado grudado na ponta do dedo. Haha! Muita gente achava ruim, e reclamava! O melhor é quando isso acontece com aquelas mulheres que usam luvas caríssimas. Ah, sim, estou ansiosa para entrar na fábrica do Sr. Wonka. E sei que depois ele vai me dar chicletes que vão durar o resto da minha vida. Hip! Hip! Hurra!'"

— Que menina *desagradável* — disse vovó Josefina.

— Desprezível — acrescentou vovó Jorgina. — Já está pegajosa de tanto mascar chiclete...

— E quem achou o quarto Bilhete Dourado? — perguntou Charlie.

— Vamos ver — disse o Sr. Bucket, voltando ao jornal. — Está aqui! O quarto Bilhete Dourado foi encontrado por um menino chamado Miguel Tevel.

— Outro enjoado, tenho certeza — resmungou vovó Josefina.

— Não interrompa, vovó — disse a Sra. Bucket.

"A casa dos Tevel" — leu o Sr. Bucket — "também estava cheia de gente entusiasmada quando nosso repórter chegou, mas o jovem Miguel Tevel, o feliz ganhador, parecia incomodado com toda aquela agitação. 'Será que vocês não percebem que estou vendo televisão?', disse ele, zangado, 'gostaria de não ser interrompido!' O garoto, que tem nove anos de idade, estava sentado em frente a uma televisão enorme, com os olhos grudados na tela, assistindo a um filme em que dois bandos de gângsters atiravam um contra o outro com uma metralhadora. O próprio Miguel Tevel estava com o corpo coberto de cinturões, com uns dezoito revólveres pendurados. Eram revólveres de brinquedo,

de todos os tamanhos. Toda hora ele dava um pulo, pegava uma das armas e soltava meia dúzia de tiros. Quando alguém tentava perguntar alguma coisa, ele gritava: 'Silêncio, eu não *disse* que não queria ser interrompido? Esse programa é um tiroteio só! Incrível! Fantástico! Eu o vejo todos os dias. Assisto a todos os programas todos os dias, até os chatos, que não têm tiro. Gosto mais dos bandidos. São incríveis! Principalmente quando começam a mandar chumbo, puxar os estiletes, ou brigar com soco-inglês! Nossa, como eu queria que fosse verdade! Isso que é vida!'"

— Chega — gritou vovó Josefina. — Não *aguento* ouvir isso!

— Nem eu — disse vovó Jorgina. — Será que hoje em dia *todas* as crianças se comportam como esses pirralhos?

— Lógico que não — disse o Sr. Bucket, sorrindo para a velhinha. — Algumas, sim. Talvez muitas. Mas não *todas*.

— Agora só sobrou um bilhete — disse vovô Jorge.

— É mesmo — fungou vovó Jorgina. — E, com a mesma certeza de que amanhã vou comer sopa de repolho no jantar, sei que esse bilhete vai cair nas mãos de algum moleque insuportável, que não o merece.

Vovô José tenta a sorte

No dia seguinte, quando Charlie voltou da escola e foi até o quarto dos avós, viu que só vovô José estava acordado. Os outros três estavam roncando alto.

— Psss! — chamou vovô José, fazendo sinal para Charlie chegar mais perto. Na ponta dos pés, Charlie foi até a cama. O velhinho, com um sorriso malicioso, começou a remexer debaixo do travesseiro, de onde tirou uma velha carteira de couro. Debaixo do lençol, abriu a carteira e sacudiu-a de cabeça para baixo. Caiu só uma moedinha de prata.

— É meu tesouro secreto — sussurrou ele. — Os outros não sabem que tenho isso. Agora, você e eu vamos fazer mais uma tentativa para encontrar o último bilhete. O que você acha, hein? Mas você vai ter que me ajudar.

— Tem *certeza* de que quer gastar seu dinheiro com isso, vovô? — cochichou Charlie.

— Lógico que tenho! — respondeu o velhinho, apressado. — Não fique aí discutindo! Estou tão ansioso quanto você para achar esse bilhete! Aqui está. Pegue o dinheiro, corra até a loja mais próxima, compre o primeiro chocolate Wonka que você encontrar e volte correndo para casa. Vamos abrir o chocolate juntos.

Charlie pegou a moedinha de prata e saiu rapidinho do quarto. Em cinco minutos já estava de volta.

— Comprou? — cochichou vovô José, com os olhos brilhando de alegria.

Charlie fez que sim com a cabeça e mostrou a barra de chocolate: SURPRESA DE NOZES WONKA.

— Muito bem — falou baixinho o velho, sentando na cama e esfregando as mãos. — Agora sente aqui, bem perto de mim, e vamos abrir juntinhos. Pronto?

— Pronto — disse Charlie.

— Vamos ver. Você começa.

— Não — disse Charlie. — Você pagou, você desembrulha.

Os dedos do velhinho estavam tremendo, tentando tirar o papel.

— Na verdade, não temos a menor chance — falou ele, com um risinho. — Você sabe que não temos chance, não é?

— Sim — disse Charlie. — Eu sei.

Um olhou para o outro e sorriram, nervosos. Vovô José repetiu:

— Você sabe que só há uma chance *muito pequena* de ser este o chocolate premiado, não é mesmo?

— É — disse Charlie. — Sei, sim. Por que não abre logo, vovô?

— Calma, menino. Calma. Que lado você quer que eu abra primeiro?

— Este aqui. O que está mais longe de você. Abra só um *pouquinho*, de um jeito que ainda não dê para ver o que tem dentro.

— Assim? — perguntou o velhinho.

— É. Agora, mais um pouquinho.

— Termine você — disse vovô José. — Estou nervoso demais.

— Não, vovô. Abra você até o fim.

— Tudo bem, vamos lá! — E ele desembrulhou de uma vez.

Os dois arregalaram os olhos para ver o que tinha caído do papel. Era uma barra de chocolate — só isso.

Os dois foram percebendo aos poucos o lado engraçado daquilo tudo e caíram na risada.

— O que está acontecendo? — perguntou vovó Josefina, acordando de repente.

— Nada, nada — disse vovô José. — Pode continuar dormindo.

A fome vai chegando

Duas semanas se passaram, e começou a fazer muito frio. Primeiro veio a neve. Começou de repente, numa manhã, quando Charlie estava se vestindo para ir à escola. Pela janela, ele via enormes flocos de neve caindo devagarinho do céu gelado, cor de chumbo.

À tarde, a casa já estava cercada de neve por todos os lados, e o Sr. Bucket teve que abrir caminho com uma pá, da porta até a rua.

Depois da neve, veio um vento gelado, que soprou dias e dias sem parar. Era um frio de doer! Tudo o que Charlie tocava parecia feito de gelo, e assim que ele punha o nariz fora da porta, o vento parecia uma faca cortando suas bochechas.

Dentro de casa, entrava um arzinho gelado pelas frestas das janelas, por baixo da porta, e não havia onde se esconder. Os quatro velhinhos, muito quietos, deitavam-se aconchegados, tentando afastar o frio que gelava seus ossos. O entusiasmo com os Bilhetes Dourados havia desaparecido. Todos da família só tinham cabeça para pensar em dois problemas vitais: manter-se aquecidos e arranjar comida.

Por alguma razão, quando faz frio o apetite das pessoas aumenta. Quase todo mundo fica com vontade de comer carne assada, tortas quentinhas e todos aqueles pratos deliciosos que esquentam a gente. E, como somos todos muito mais sortudos do que sabemos, em geral podemos matar essas vontades. Mas Charlie Bucket nunca podia ter o que desejava porque sua família não podia comprar, e à medida que o frio ia aumentando, ele ficava mais faminto. As duas barras de chocolate, a do aniversário e a outra que vovô José comprara, já tinham acabado fazia muito tempo, e a única coisa que ele tinha para comer eram aquelas refeições ralas de repolho.

De repente, as refeições começaram a diminuir mais ainda.

Isso porque a fábrica de pasta de dentes onde o Sr. Bucket trabalhava faliu e teve que fechar. O Sr. Bucket logo começou a procurar outro emprego, mas não teve sorte. No fim, para conseguir ganhar um dinheirinho começou a varrer a neve das ruas. Mas não dava para comprar nem um quarto da comida necessária para as sete pessoas da família. A situação tornou-se desesperadora. O café da manhã era uma fatia de pão seco para cada um e o almoço, quando tinha, meia batata cozida.

Aos poucos, todos na casa foram ficando desnutridos.

Todos os dias, o pequeno Charlie Bucket, andando pela neve no caminho para a escola, passava em frente à gigantesca fábrica de chocolate do Sr. Willy Wonka. Ao se aproximar dela, sempre levantava o narizinho arrebitado e respirava o delicioso cheiro adocicado de chocolate derretido. Às vezes ficava parado do lado de fora do portão, por vários minutos, respirando fundo, como se estivesse tentando *comer* aquele cheiro maravilhoso.

Numa manhã gelada, esticando a cabeça para fora do cobertor, vovô José disse:

— Essa criança *tem* que se alimentar melhor. Nós não importamos. Já somos velhos demais. Mas esse menino *está em fase de crescimento*! Não pode continuar assim! Ele está virando um esqueleto!

— O que podemos *fazer*? — murmurou vovó Josefina, com tristeza. — Ele se recusa a comer nossa comida. A mãe colocou o pedaço de pão dela no prato de Charlie hoje cedo, no café da manhã, mas ele nem tocou. Ele a obrigou a pegar o pão de volta.

— É um amor de criança — disse vovô Jorge. — Não merece isso.

O tempo ruim continuava.

Dia a dia, Charlie ia emagrecendo. Seu rosto foi ficando terrivelmente pálido e magro. A pele estava tão esticada na face que dava para ver os ossos. Se ele continuasse daquele jeito, ia acabar ficando muito doente.

Então, calmamente, com aquela estranha sabedoria que, com frequência parece tomar conta das crianças em épocas de dificuldade, ele começou a mudar algumas coisas em sua vida, para poupar forças. De manhã, saía de casa dez minutos antes e andava bem devagar até a escola, para não ter que correr. Ficava quietinho sentado na sala na hora do recreio, descansando, enquanto os outros corriam para fora, atirando bolas de neve e rolando na neve. Ele fazia tudo devagar, com cuidado, para não se cansar.

Certa tarde, ao caminhar de volta para casa com o vento gelado batendo no rosto (e, aliás, sentindo mais fome do que nunca), seus olhos deram com alguma coisa prateada na sarjeta, no meio da neve. Charlie se abaixou para examinar melhor. Parte da coisa estava enterrada na neve, mas ele finalmente viu o que era.

Era uma moeda!

Olhou depressa em volta.

Será que alguém tinha acabado de deixar cair a moeda?

Não, isso seria impossível, porque ela já estava meio coberta de neve.

Muitas pessoas passavam apressadas por ele, com o queixo afundado na gola do casaco, pés esmagando a neve. Nenhuma delas estava procurando dinheiro, nenhuma delas dava a menor atenção àquele menino agachado na sarjeta.

Então a moeda era *dele*? Era *ele* o dono?

Com cuidado, Charlie puxou a moedinha meio enfiada na neve. Estava molhada, suja, mas perfeita.

— Uma moeda só minha!

Segurou a moeda com força entre os dedos trêmulos, olhando pasmo para ela. Para Charlie aquilo significava uma coisa, apenas *uma* coisa: COMIDA.

Automaticamente, o menino voltou e começou a andar na direção da loja mais próxima. Era só a dez passos dali... uma lojinha de jornais e selos, daquelas que vendiam de tudo, inclusive doces e cigarros... cochichou para si mesmo o que ia fazer... compraria uma deliciosa barra de chocolate para comer *inteira*, pedaço por pedaço, lá mesmo... e o resto do dinheiro ele levaria direto para casa e daria à mãe.

O milagre

Charlie entrou na loja e pôs a moedinha no balcão.

— Uma Fudgemellow Delícia Deliciosamente Crocante Wonka — disse ele, lembrando o quanto tinha amado o chocolate que ganhara no seu aniversário.

O homem atrás do balcão era gordo e bem nutrido. Tinha os lábios grandes, bochechas gorduchas e um pescoção. A gordura do pescoço saltava cobrindo o colarinho como um colar de borracha. Pegou uma barra de chocolate que estava atrás dele, voltou-se e a entregou para Charlie. Charlie agarrou o chocolate mais que depressa, num segundo rasgou o papel e deu uma supermordida. Depois mais uma... e mais outra... ah, que felicidade ter aqueles pedaços grandes, doces e substanciosos dentro da boca! A felicidade abençoada de estar com a boca cheia de comida!

— Parece que você estava mesmo com vontade, hein, filhote? — disse o vendedor, brincalhão.

Charlie concordou com a boca cheia de chocolate.

O vendedor pôs o troco no balcão.

— Devagar — disse ele —, vai acabar ficando com dor de barriga se continuar engolindo sem mastigar!

Charlie continuou devorando o chocolate. Não conseguia parar. Em menos de um minuto a barra inteira tinha desaparecido. Ele estava quase sem fôlego, mas se sentia maravilhosa e extraordinariamente feliz. Esticou a mão para pegar o troco. Parou. Seus olhos estavam fixos no balcão, olhando as moedas de prata. Tinha, ao todo, nove moedas. Era óbvio que não haveria problema se ele gastasse só mais uma...

— Então — ele disse, baixinho —, acho que vou querer só mais uma barra de chocolate. Igual à outra, por favor.

— Por que não? — respondeu o vendedor, pegando atrás dele mais uma Fudgemellow Delícia Deliciosamente Crocante Wonka da prateleira. Colocou em cima do balcão.

Charlie pegou e rasgou logo a embalagem... quando, *de repente*... de dentro do papelzinho, apareceu uma luz brilhante dourada.

O coração de Charlie disparou.

— É um Bilhete Dourado! — gritou o vendedor, dando pulos no ar. — Você achou o último Bilhete Dourado! Inacreditável! Venham todos, venham ver! O garoto achou o último Bilhete Dourado do Sr. Wonka! Aqui está! Na mão dele!

Parecia que o vendedor ia ter um ataque.

— Na minha loja! — ele gritava. — Ele achou bem aqui, na minha lojinha! Chamem os jornais, depressa! Cuidado, filhote! Cuidado para não rasgar! Esse bilhete é precioso!

Num segundo, umas vinte pessoas se aglomeraram em volta de Charlie, e ainda ia chegando mais gente da rua. Todo mundo queria ver o Bilhete Dourado e o sortudo que o encontrou.

— Onde está ele? — gritou alguém. — Levante para todo mundo ver o Bilhete Dourado!

— Olhe lá! — gritou outro. — Ele está com o bilhete na mão! Vejam o brilho dourado!

— Eu só queria saber o que *ele* fez para achar o bilhete — gritou, indignado, um menino grandão. — Tenho comprado *vinte barras* por dia, há semanas e semanas!

— Imagine só tudo o que ele vai ganhar — disse outro garoto, com inveja. — O suficiente para o resto da vida!

— Ele bem que está precisando, esse camarãozinho magricela — disse uma menina, dando risada.

Charlie não tinha se mexido. Nem acabara de desembrulhar o chocolate para pegar o Bilhete Dourado. Estava parado, de pé, segurando-o com força nas duas mãos, enquanto a multidão empurrava e gritava ao seu redor. Sentia-se zonzo, atordoado. Tinha a sensação de estar levitando, subindo para o ar como um balão. Era como se os pés dele não estivessem tocando o chão. Ouvia o barulho de seu coração batendo forte na garganta.

Nessa hora, sentiu a mão apoiada em seus ombros. Levantou os olhos e viu um homem alto, de pé ao lado dele.

— Escute — cochichou o homem —, quero comprar seu bilhete. Dou cinquenta libras por ele. Que tal, hein? E ainda dou uma bicicleta nova para você. Combinado?

— Perdeu o juízo? — gritou uma senhora que estava ao lado. — Dou *duzentas libras* por esse bilhete! Quer vender esse bilhete por duzentas libras, garoto?

— Chega! — gritou o vendedor, atravessando a multidão e pegando Charlie firmemente pelo braço.

— Deixem o menino em paz! Com licença! Deixem o garoto sair.

E, enquanto levava Charlie até a porta, o vendedor cochichou:

— Não deixe *ninguém* pegar seu bilhete. Vá direto para casa, correndo, antes que você o perca. Vá correndo e não pare até chegar lá, entendeu?

Charlie fez que sim com a cabeça.

— Quer saber de uma coisa? — disse o vendedor, parando um pouco e sorrindo para Charlie. — Tenho a impressão de que você precisava mesmo de uma coisa dessas. Estou muito contente por você ter encontrado o Bilhete Dourado. Boa sorte, filhote!

— Obrigado — disse Charlie, e foi embora correndo pela neve o mais rápido que suas pernas permitiam. Passou voando diante da fábrica do Sr. Wonka, virou-se, deu um tchauzinho e disse:

— Até logo mais! Até logo mais!

Em cinco minutos chegou em casa.

O que dizia o Bilhete Dourado

Charlie irrompeu pela porta, gritando:

— Mamãe! Mamãe! Mamãe!

A Sra. Bucket estava no quarto dos velhinhos, servindo a sopa da noite.

— Mamãe! — berrou Charlie, entrando como um furacão. — Olhe! É meu! Olhe, mamãe, olhe! O último Bilhete Dourado! Ele é meu! Encontrei um dinheirinho na rua e comprei duas barras de chocolate e na segunda encontrei o Bilhete Dourado, as pessoas se aglomeraram ao meu redor querendo ver o bilhete e o vendedor me salvou e eu corri sem parar até chegar em casa e aqui estou! É O QUINTO BILHETE DOURADO, MAMÃE, E EU O ENCONTREI!

A Sra. Bucket parou, chocada. Os quatro velhinhos, que estavam sentados na cama equilibrando as tigelas de sopa no colo, largaram as colheres e caíram duros no travesseiro.

Houve dez segundos de silêncio absoluto no quarto. Ninguém ousava se mexer ou falar. Foi um momento mágico.

Depois, bem devagar, vovô José disse:

— Não é possível, Charlie, fale a verdade. Está brincando com a gente?

— Juro que *não* — gritou Charlie, correndo até a cama, scgurando o maravilhoso Bilhete Dourado para que eles pudessem ver.

Vovô José se aproximou para ver de perto, o nariz quase encostando no bilhete. Os outros ficaram esperando o veredicto.

Então, aos poucos, com um sorriso suave e magnífico no rosto, vovô José levantou a cabeça e olhou fixo para Charlie. Suas bochechas começaram a ficar coradas, seus olhos arregalados, brilhando de alegria, e, no meio de cada olho, bem no meio mesmo, na pupila preta, brilhava uma faísca de alegria. O velhinho respirou fundo e, de repente, sem qualquer aviso prévio, pareceu ter explodido por dentro. Levantou os braços e gritou:

— *Iupiii!* — Seu corpo ossudo levantou da cama fazendo voar a tigela de sopa bem em cima da vovó Josefina. Num salto fantástico, aquele velhote de noventa e seis anos

e meio, que não saía da cama havia mais de vinte anos, pulou no chão e começou a dançar, de pijama, a dança da vitória.

— Iuuppiiiiii — gritava ele. — Três vivas para Charlie! Hip! Hip! Hurra!

Nesse momento, a porta se abriu, e o Sr. Bucket entrou no quarto. Tinha varrido a neve das ruas durante todo o dia.

— *Nossa!* — exclamou ele. — O que está acontecendo por aqui?

Não levou muito tempo para ele saber.

— Não acredito — disse ele —, é impossível!

— Mostre o bilhete para ele, Charlie — falou vovô José, ainda dançando e girando em seu pijama listrado. — Mostre para seu pai o quinto e último Bilhete Dourado do mundo!

— Deixe-me ver, Charlie — pediu o Sr. Bucket caindo numa cadeira e estendendo as mãos. Charlie se aproximou com o precioso documento.

O Bilhete Dourado era muito bonito. Parecia uma folha de ouro puro, da espessura de um papel. De um dos lados, impresso em letras pretas, vinha o convite do Sr. Wonka.

— Leia em voz alta — disse vovô José, voltando finalmente para a cama. — Vamos ver exatamente o que diz o convite.

O Sr. Bucket segurou o lindo Bilhete Dourado bem perto dos olhos. Suas mãos estavam tremendo um pouco, e ele parecia meio fora de si com aquilo tudo. Respirou fundo várias vezes. Então limpou a garganta e disse: — Está bem, vou ler. Lá vai:

"*Parabéns*, feliz ganhador do Bilhete Dourado. Parabéns do Sr. Willy Wonka! Meus cumprimentos! Coisas extraordinárias aguardam você! Surpresas maravilhosas o esperam! Por enquanto, gostaria que você viesse visitar minha fábrica e fosse meu convidado por um dia — você e todos os outros sortudos que encontraram o Bilhete Dourado. Eu, Willy Wonka, vou conduzi-los pessoalmente pela fábrica, mostrando tudo o que há para ser visto. Depois, quando chegar a hora de ir embora, serão escoltados até suas casas por um cortejo de caminhões enormes. Prometo que esses caminhões estarão cheios de deliciosas guloseimas, que durarão anos e anos, para você e toda a sua família. E, quando o estoque acabar, é só você voltar à fábrica e mostrar o Bilhete Dourado. Terei o maior prazer em reabastecê-lo com tudo o que desejar. Desse modo, poderá manter seu estoque de saborosas guloseimas pelo resto da vida. Mas isso não é o mais emocionante que vai acontecer no dia de sua visita. Estou preparando outras surpresas ainda mais maravilhosas e fantásticas, para você e todos os meus queridos possuidores do Bilhete Dourado — surpresas fascinantes, deliciosas, intrigantes, espantosas e incríveis! Nem nos seus sonhos mais extraordinários você poderá imaginar as coisas que lhe poderão acontecer! Espere para ver! Agora, as instruções: o dia que escolhi para a visita é primeiro de fevereiro. Nesse dia, e só nesse dia, você deverá comparecer aos portões da fábrica exatamente às dez da manhã. Não se atrase! Pode levar um ou dois membros da sua família para tomar conta de você e para garantir que não faça nenhuma travessura. Mais uma coisa — não esqueça de trazer o bilhete, pois sem ele não poderá entrar.

(assinado) Willy Wonka"

— Dia primeiro de *fevereiro*! — exclamou o Sr. Bucket. — Mas já é *amanhã*! Hoje é o último dia de janeiro. Eu *tenho certeza*!

— Puxa vida — disse a Sra. Bucket. — É isso mesmo!

— Está em cima da hora! — exclamou vovô José. — Não há tempo a perder. Você precisa começar a se aprontar logo! Lave o rosto, penteie os cabelos, lave as mãos, escove os dentes, assoe o nariz, corte as unhas, engraxe os sapatos, passe a camisa e, por favor, limpe o barro das calças! Vamos, meu garoto! Você tem que estar preparado para o dia mais importante da sua vida!

— Não fique tão agitado, vovô — disse o Sr. Bucket. — Não confunda o coitado do Charlie. Temos que tentar manter a calma. Agora, a primeira coisa a resolver é a seguinte: quem vai acompanhar Charlie à fábrica?

— Eu! — gritou vovô José, pulando de novo da cama. — Eu vou com ele! Vou tomar conta dele! Pode deixar comigo!

A Sra. Bucket sorriu, voltou-se para o marido e disse:

— E você, querido? Não acha melhor *você* ir?

— Bem... — disse o Sr. Bucket, parando para pensar — não... Não sei se devo ir.

— Mas você *precisa* ir!

— Nisso não tem nada de *precisar*, minha querida — disse gentilmente o Sr. Bucket. — Sabe de uma coisa? Eu *adoraria* ir. Seria emocionante. Mas, por outro lado... Acho que, de todos nós, quem *merece* ir mesmo é vovô José. Parece que ele entende mais do assunto do que nós. Contanto, é lógico, que ele esteja disposto...

— Iuupiiii — gritou vovô José, pegando Charlie pela mão e dançando pelo quarto.

— Ele realmente *parece* muito disposto — disse a Sra. Bucket, rindo. — É... talvez você tenha razão. Talvez vovô José seja a pessoa certa para acompanhá-lo. Eu mesma não posso ir e deixar os outros três velhinhos sozinhos na cama o dia inteiro.

— Aleluia — gritou vovô José. — Graças a Deus!

Nessa hora, ouviram uma batida forte na porta da frente. O Sr. Bucket foi abrir, e a casa foi invadida por um enxame de repórteres e fotógrafos. Tinham saído à procura do menino do quinto Bilhete Dourado, e agora todos queriam saber a história toda para colocarem nas manchetes dos jornais do dia seguinte. Por muitas horas, aquela casinha virou um pandemônio, e devia ser quase meia-noite quando o Sr. Bucket conseguiu se livrar dos repórteres, e Charlie pôde se deitar.

O grande dia

Na manhã do grande dia o sol brilhava, mas o chão continuava coberto de neve e o ar, muito frio.

Fora dos portões da fábrica Wonka, uma enorme multidão se aglomerava para assistir à entrada dos cinco felizes ganhadores dos Bilhetes Dourados. A emoção era imensa. Faltava pouco para as dez horas. As pessoas gritavam, empurravam, enquanto policiais formavam uma corrente tentando afastá-las dos portões.

Ao lado dos portões, num pequeno grupo que a polícia protegia da multidão, estavam as cinco famosas crianças, com os adultos que tinham vindo acompanhá-las.

A figura alta e magra de vovô José destacava-se entre eles, e a seu lado, segurando sua mão, Charlie Bucket.

Cada criança, exceto Charlie, tinha vindo com o pai e a mãe, e era bom que fosse assim, pois senão teriam estragado a festa.

Estavam tão impacientes para entrar que os pais tiveram que segurá-las com força para elas não pularem os muros.

— Calma! — gritavam os pais. — Quietos! Ainda não está na hora! Não são dez horas!

Atrás dele, Charlie Bucket ouvia os gritos da multidão empurrando e lutando para ver as famosas crianças.

— Olhem só, é Violeta Chataclete — ele ouviu alguém gritar. — É ela mesmo! Lembro da fotografia dela nos jornais!

— E sabe de uma coisa? — gritou outra pessoa. — Ela ainda está mascando aquele pedaço horrível de chiclete velho, que já tinha três meses! Olhe a mandíbula dela! Está mascando, mascando!

— Quem é aquele menino gordo?

— É o Augusto Glupe!

— Então é esse aí!

— Enorme, não é?

— Fantástico!

— Quem é aquele menino com a foto do Cavaleiro Solitário estampada no blusão?

— É Miguel Tevel! O tal fanático por televisão!

— Ele deve ter perdido o juízo! Olha só o monte de pistolas de brinquedo que ele tem penduradas pelo corpo.

— Eu quero é ver a Veroca Sal! — gritou outra voz no meio da multidão. — É a menina para quem o pai comprou meio milhão de barras de chocolate e fez os empregados da fábrica dele desembrulharem uma por uma, até encontrarem o Bilhete Dourado! O pai dá tudo o que ela quer! Tudinho! É só ela começar a gritar e pronto!

Consegue tudo o que quer!

— Terrível, não é?

— Um horror!

— Quem você acha que é ela?

— Aquela ali, à esquerda! A menininha com o casaco de pele prateado!

— E qual deles é Charlie Bucket?

— Charlie Bucket? Deve ser aquele magricela ao lado daquele senhor com cara de esqueleto. Logo aqui pertinho, está vendo?

— Por que será que ele não está de casaco, com todo esse frio?

— Nem me pergunte. Vai ver que não tem dinheiro para comprar.

— Meu Deus! Ele deve estar congelando!

Charlie, que estava a alguns passos dali, apertou a mão do vovô José, o velhinho deu uma olhada para Charlie e sorriu.

Ao longe, o relógio de uma igreja começou a bater dez horas.

Devagar, rangendo as dobradiças enferrujadas, os grandes portões de ferro da fábrica começaram a se abrir.

A multidão silenciou de repente. As crianças pararam de correr de um lado para o outro. Todos os olhos se fixaram nos portões.

— *Lá está ele!* — alguém gritou. — *É ele!*

E era ele mesmo!

O Sr. Willy Wonka

O Sr. Wonka estava ali, sozinho, do lado de dentro dos portões abertos da fábrica.

Era um homenzinho incrível!

Na cabeça, uma cartola preta.

Estava com um belo fraque de veludo cor de ameixa.

Suas calças eram verde-garrafa.

Suas luvas eram cinza-pérola.

E, numa das mãos, segurava uma bengala com castão de ouro.

Cobrindo o queixo, tinha uma barbicha preta e pontuda — um cavanhaque. Seus olhos — seus olhos eram incrivelmente brilhantes. Pareciam estar o tempo todo faiscando e cintilando para as pessoas. De fato, todo o rosto dele era iluminado de alegria e felicidade.

E como parecia inteligente! Era rápido, decidido e cheio de vida! Começou a fazer movimentos rápidos com a cabeça, balançando-a de um lado para o outro, observando tudo com aqueles olhinhos brilhantes. Com aqueles movimentos rápidos parecia um esquilo, um daqueles velhos esquilos ágeis e espertos do parque.

De repente, deu uma dançadinha na neve, abriu os braços num gesto amplo, sorriu para as cinco crianças que estavam apinhadas perto dos portões e chamou:

— Bem-vindos, meus amiguinhos! Bem-vindos à fábrica!

Sua voz era alta e soava como uma flauta:

— Por favor, entrem um de cada vez — convidou ele. — Tragam seus pais. Mostrem-me seus Bilhetes Dourados e digam-me seus nomes. Quem vai ser o primeiro?

O menino gordo deu um passo à frente.

— Sou Augusto Glupe — disse ele.

— Augusto! — cumprimentou o Sr. Wonka, sacudindo a mão do menino para cima e para baixo com uma força incrível. — Meu garoto, que *prazer* em ver você! Encantado! Fascinado! Muito feliz por ter você conosco! E *esses* são seus pais? Que *bom*! Entrem! Entrem! Isso mesmo! Atravessem os portões!

Via-se que o Sr. Wonka estava tão entusiasmado quanto todas as outras pessoas.

— Meu nome é Veroca Sal — apresentou-se a outra criança.

— Minha *querida* Veroca! *Como vai* você? Que prazer! Você tem um nome muito interessante, não é? Sempre pensei que Veroca fosse uma espécie de verruga que nasce na sola do pé! Mas acho que eu estava enganado, não é verdade? Que gracinha você está com esse casaco de pele! Estou muito feliz por você ter vindo! Meus queridos, hoje vai ser *mesmo* um dia emocionante! Espero que vocês se divirtam! Tenho certeza disso! *Sei* disso! Seu pai? Como *vai*, Sr. Sal? E a Sra. Sal? Encantado em vê-los aqui! Certo, o bilhete está correto! Por favor, entrem!

As duas outras crianças, Violeta Chataclete e Miguel Tevel, se apresentaram para mostrar seus bilhetes e quase tiveram o braço arrancado do ombro pelo cumprimento animado do Sr. Wonka.

E, por último, uma vozinha nervosa sussurrou:

— Charlie Bucket.

— Charlie! — exclamou o Sr. Wonka. — Muito bem, muito bem, ótimo! Então, *aqui* está você! Você é o garoto que achou o bilhete ontem, não é? Isso mesmo, isso mesmo! Li tudo nos jornais hoje de manhã! Em cima da hora, meu garoto! Estou muito feliz! Muito contente por você! E este? Seu avô? Encantado em conhecê-lo, senhor! Felicíssimo! Extasiado! Maravilhado! Tudo certo! Excelente! Todos aqui? Cinco crianças? Sim! Muito bem! Agora, por favor, venham comigo! Nossa visita começa agora! Mantenham-se juntos! *Por favor*, não se dispersem! Não gostaria de perder ninguém nesta altura dos acontecimentos! Ah, não, não mesmo!

Charlie deu uma olhada para trás, por cima dos ombros, e viu os portões de ferro da entrada se fechando devagarinho.

Lá fora, a multidão continuava empurrando e gritando. Depois daquela última olhada de Charlie, os portões bateram, impedindo qualquer visão sobre o mundo lá de fora.

— Cá estamos! — exclamou o Sr. Wonka, trotando à frente do grupo. — Por esta porta vermelha, por favor! *Isso!* Aqui dentro está gostoso e quentinho! Tenho que manter a fábrica aquecida por causa dos empregados! Meus empregados estão acostumados a um clima *bem* quente! Eles não suportam frio! Se saíssem com esse frio, morreriam congelados!

— Mas quem *são* esses empregados? — perguntou Augusto Glupe.

— Tudo em seu devido momento, meu caro garoto! — exclamou o Sr. Wonka, sorrindo para Augusto. — Seja paciente! Você vai ver tudo conforme formos andando pela fábrica! Estão todos aqui? Bom! Você se importaria de fechar a porta? Obrigado!

Charlie Bucket viu-se num corredor enorme, que avançava à sua frente até onde era capaz de enxergar. O corredor era tão largo que daria para andar de carro por ele. As paredes eram cor-de-rosa em um tom claro e as luzes, difusas e agradáveis.

— Que gostoso, tão quentinho! — sussurrou Charlie.

— É mesmo. E que cheirinho delicioso! — respondeu vovô José, respirando fundo.

Todos os cheiros mais maravilhosos do mundo pareciam se misturar no ar ao redor deles — o cheirinho de café torrado, de açúcar queimado, de chocolate derretido, de menta, de violetas, de avelã, de flor de maçã, de caramelo, de casquinha de limão...

E, lá de longe, bem do fundo da fábrica fantástica, vinha um ronco abafado de energia, como se uma máquina monstruosa e gigantesca estivesse girando suas rodas numa velocidade espantosa.

— *Este*, minhas queridas crianças — disse o Sr. Wonka, elevando a voz além do barulho —, é o corredor principal. Por favor, pendurem seus casacos e chapéus naqueles cabides ali, e sigam-me. Por aqui! Ótimo! Todos prontos? Então venham! Lá vamos nós!

Ele saltitava pelo corredor, e a cauda do fraque de veludo cor de ameixa ia balançando. Os visitantes iam correndo atrás dele.

Pensando bem, era um grupo grande. Havia nove adultos e cinco crianças, catorze ao todo. Dá para imaginar a quantidade de empurrões e esbarrões pelo caminho, todos tentando acompanhar aquela figurinha veloz à frente deles.

— Venham — chamava o Sr. Wonka —, mexam-se, por favor! *Nunca* vamos conseguir dar a volta inteira se vocês continuarem nessa moleza!

Logo ele virou à direita, entrando em um corredor mais estreito.

Depois virou à esquerda.

Depois de novo à esquerda.

Depois à direita.

Depois à esquerda.

Depois à direita.

Depois à direita.

Depois à esquerda.

Parecia um gigantesco labirinto, com corredores saindo por todos os lados.

— Não largue minha mão, Charlie — sussurrou vovô José.

— Observem como *todos* esses corredores se inclinam para baixo! — mostrou o Sr. Wonka. — Agora estamos indo para debaixo da terra! *Todas* as salas mais importantes da minha fábrica ficam muito abaixo da superfície.

— Por que isso? — alguém perguntou.

— Não haveria espaço suficiente para tudo na superfície — respondeu o Sr. Wonka. — As salas que vamos ver agora são *enormes*! São maiores que campos de futebol! Não há prédio no mundo onde caibam todas elas! Mas aqui, no subsolo, tenho *todo* o espaço que quero. Não há limites, é só cavar!

O Sr. Wonka virou à direita.

E virou à esquerda.

E virou à direita de novo.

Os corredores desciam cada vez mais.

Então, de repente, o Sr. Wonka parou na frente de uma porta de metal brilhante. As pessoas se amontoaram em volta dele. Na porta estava escrito, com letras enormes:

A SALA DOS CHOCOLATES

A Sala dos Chocolates

— Esta é uma sala importante! — exclamou o Sr. Wonka, tirando um molho de chaves do bolso e enfiando uma delas na fechadura. — *Este* é o núcleo de toda a fábrica, o coração de tudo isso! E é tão *bonito*! Faço questão de que minhas salas sejam bonitas! Não *tolero* feiura nas fábricas! *Vamos entrar!* Mas com cuidado, meus queridos! Não percam a cabeça! Não se animem demais! Mantenham-se calmos!

O Sr. Wonka abriu a porta. Cinco crianças e nove adultos se lançaram para dentro — e, ah, que espetáculo surpreendente diante de seus olhos!

Lá embaixo avistaram um vale lindo. De cada lado desse vale, estendia-se uma campina muito verde, e pelo meio dele corria um rio marrom. No meio do rio havia uma cachoeira fantástica — um rochedo imenso por onde a água vinha ondulando e rolando, até se transformar num imenso lençol que caía num borbulhante redemoinho de espuma.

Embaixo da cachoeira (e isso era o mais espantoso), enormes canos de vidro afundavam no rio, pendurados em algum lugar bem lá no alto do teto! Os canos eram realmente *gigantescos*. Havia pelo menos uma dúzia deles, sugando a água marrom do rio e levando-a Deus sabe para onde! Como eram de vidro, dava para ver o líquido fluindo e borbulhando dentro deles. Além do barulho da cachoeira, era possível escutar o som interminável do *glub, glub, glub* dos canos sugando a água do rio.

Árvores e arbustos graciosos cresciam ao longo das margens do rio — chorões e amieiros, arbustos de hortênsias com suas flores rosadas, vermelhas e azuis. Nos campos havia milhares de flores botão-de-ouro.

— Vejam *ali*! — exclamou o Sr. Wonka, dançando para cima e para baixo e apontando o grandioso rio marrom com a bengala de castão de ouro. — É *tudo* chocolate! Cada gota desse rio é pura calda de chocolate quente da *mais alta* qualidade! Chocolate suficiente para encher *todas* as banheiras do país *inteiro*! E todas as piscinas também! Não é *extraordinário*? Deem uma olhada nos canos! Eles sugam o chocolate e o transportam para todas as outras salas da fábrica onde ele é necessário! Milhares de galões por hora, minhas caras crianças! Milhares e milhares de galões!

As crianças e os pais estavam tão perplexos que nem conseguiam falar. Estavam atordoados. Boquiabertos. Deslumbrados e estarrecidos. Estavam totalmente abalados diante da imensidão daquilo tudo. Só conseguiam ficar ali parados, com os olhos arregalados.

— A cachoeira é a parte *mais* importante de tudo! — continuou o Sr. Wonka. — Ela mistura chocolate! Ela bate, amassa, mexe e remexe! Faz o chocolate ficar leve, espumoso! Nenhuma outra fábrica no mundo mistura o chocolate em cachoeira! Mas esse é o único jeito certo de fazer isso! O *único*! E das minhas árvores, vocês gostam?! — exclamou, apontando com a bengala. — E meus arbustos?! Não são bonitinhos? Digo e repito: detesto a feiura! E tem mais, é tudo comestível! Cada coisa é feita de algo diferente, delicioso! E as campinas? Vocês gostam da grama e das minhas flores botão-de-ouro? A grama que vocês estão pisando, meus queridos, é feita de um novo tipo de açúcar mentolado que eu mesmo inventei! Chamo de verdoce! Experimentem uma folhinha de grama! Por favor, provem! É deliciosa!

Automaticamente, todos se abaixaram e pegaram um pedacinho da grama — todos, quer dizer, menos Augusto Glupe, que pegou uma mão cheia.

E Violeta Chataclete que, antes de experimentar sua grama, tirou da boca o chiclete quebrador do recorde mundial e o grudou cuidadosamente atrás da orelha.

— Não é *maravilhoso*? — murmurou Charlie. — Não é um sabor fantástico, vovô?

— Eu seria capaz de comer esse *gramado* todo! — disse vovô José, rindo de satisfação. — Eu até andaria de quatro, como uma vaca, para comer cada pedacinho de grama deste lugar!

— Experimentem os botões-de-ouro! — disse o Sr. Wonka. — São mais gostosos ainda!

De repente, uns gritos de animação tomaram conta de tudo. Era Veroca Sal, que gritava apontando freneticamente para o outro lado do rio.

— Vejam, ali! — berrava ela. — O que é aquilo? Está se mexendo! Está andando! É uma *pessoinha*! É um *homenzinho*! Ali, embaixo da cachoeira!

Todos pararam de colher botões-de-ouro e olharam para o outro lado do rio.

— *Ela tem razão, vovô!* — exclamou Charlie. — É um homenzinho! Está vendo?

— Estou, sim, Charlie — respondeu vovô José, excitado.

E aí todos começaram a gritar ao mesmo tempo.

— São *dois*!

— É mesmo, olha só!

— São mais de dois! Tem um, dois, três, quatro, cinco!

— O que é que eles *estão fazendo*?

— *De onde* eles vêm?

— Quem *são*?

As crianças e os pais correram para a margem do rio para verem mais de perto.

— Não são *fantásticos*?

— Chegam à altura dos meus joelhos!

— Que cabelos compridos, engraçados!

Os minúsculos homenzinhos — não eram maiores do que uma boneca de tamanho médio — pararam o que estavam fazendo e ficaram olhando para os visitantes do outro lado do rio. Um deles apontou para as crianças, cochichou alguma coisa para os outros, e os quatro tiveram um acesso de riso.

— Não é possível que eles sejam pessoas *de verdade* — disse Charlie.

— Lógico que são pessoas de verdade — respondeu o Sr. Wonka. — Eles são umpa-lumpas.

Os umpa-lumpas

— Umpa-lumpas! — repetiram todos ao mesmo tempo. — *Umpa-lumpas!*

— Importados diretamente de Lumpalópolis — disse o Sr. Wonka, orgulhoso.

— Mas esse lugar não existe — disse a Sra. Sal.

— Desculpe, senhora, mas...

— Sr. Wonka! — exclamou a Sra. Sal. — Sou professora de geografia...

— Então, a senhora deve saber tudo sobre Lumpalópolis — disse o Sr. Wonka. — Que país terrível! Florestas cerradas infestadas das mais perigosas feras do mundo; chifrodontes, golpes-sujos e os malvados chicotáculos. Um chicotáculo é capaz de devorar dez umpa-lumpas no café da manhã e ainda voltar correndo para repetir a dose. Quando estive lá, encontrei os pequenos umpa-lumpas morando em casas no alto das árvores. *Eram obrigados* a morar nas árvores para se protegerem dos golpes-sujos, dos chifrodontes e dos chicotáculos. Os umpa-lumpas alimentavam-se de lagartas verdes, que têm um gosto horrível, e eles passavam o dia todo vasculhando as copas das árvores procurando alguma outra coisa para misturar com as lagartas, para elas ficarem com um gostinho um pouco melhor — por exemplo, besouros vermelhos, folhas de eucalipto e cascas de certas árvores, tudo muito ruim, mas não tão ruim quanto as lagartas. Coitadinhos dos umpa-lumpas! A comida que eles mais desejavam eram sementes de cacau. Mas não conseguiam encontrar! Um umpa-lumpa dava-se por satisfeito se conseguisse achar três ou quatro sementes de cacau por ano. E era a coisa que mais almejavam! Sonhavam com cacau a noite toda e durante o dia só falavam em cacau. Bastava alguém pronunciar a palavra "cacau" perto de um umpa-lumpa para ele ficar com água na boca.

— A semente de cacau — continuou o Sr. Wonka —, que cresce no pé de cacau, é justamente o ingrediente principal de que é feito o chocolate. É impossível fazer chocolate sem cacau. Cacau *é* chocolate. Eu mesmo uso bilhões de sementes de cacau todas as semanas aqui na fábrica. Então, meus queridos, assim que eu percebi que os umpa-lumpas adoravam cacau, subi até sua aldeia de casas arborícolas, enfiei a cabeça pela porta da casa do chefe da tribo. O pobrezinho parecia magro e faminto, estava sentado, tentando comer uma vasilha cheia de lagartas verdes

amassadas. "Escute aqui", eu disse (em umpa-lumpês, é óbvio), "veja bem, se você e todo o seu povo forem comigo ao meu país para morar na minha fábrica, vocês poderão comer sementes de cacau à vontade! Tenho montanhas delas nos meus depósitos! Vocês poderão comer cacau em todas as refeições! Vão poder se empanturrar! Posso até pagar seus salários em cacau, se vocês quiserem!" O chefe dos umpa-lumpas, saltando da cadeira, exclamou: "Está falando sério?!" "Com certeza", eu disse. "E vocês também vão poder comer chocolate. Chocolate é mais gostoso do que cacau, porque ainda leva açúcar e leite." O homenzinho soltou um grito de alegria e jogou a vasilha de lagartas esmagadas pela janela da casa. "Combinado", ele gritou. "Venha, vamos embora!" Então eu trouxe todos eles para cá de navio, todos os homens, mulheres e crianças da tribo dos umpa-lumpas. Foi fácil. Contrabandeei todos eles dentro de enormes caixas furadas, e assim chegaram sãos e salvos. São trabalhadores maravilhosos. Agora, todos eles falam inglês. Adoram música e dança. Estão sempre inventando canções. Espero que vocês ouçam muita música hoje. Mas é bom vocês se prevenirem, porque eles são meio travessos. Adoram brincar. Ainda usam o mesmo tipo de roupa que usavam na floresta. Insistem nisso. Os homens, como vocês podem ver do outro lado do rio, usam só pele de veado. As mulheres andam cobertas de folhas, e as crianças não vestem absolutamente nada. As mulheres trocam de folhas todos os dias...

— *Papai!* — gritou Veroca Sal (a menina que tem tudo o que quer). — Papai! Eu quero um umpa-lumpa! Eu quero que você me compre um umpa-lumpa! Eu quero um umpa-lumpa já, agora! Quero levar um para casa! Vamos, papai. Compre um umpa-lumpa pra mim!

— Já, já, minha querida! — disse o pai dela. — Não podemos interromper o Sr. Wonka.

— *Mas eu quero um umpa-lumpa!* — gritava Veroca.

— Está bem, Veroca, está bem. Mas não posso comprar um neste minuto. Por favor, tenha um pouquinho de paciência. Vou mandar comprar um pra você antes do fim do dia.

— Augusto! — gritou a Sra. Glupe. — Augusto, meu filho, acho melhor você não fazer *isso*.

Augusto Glupe tinha escapado quietinho para a beira do rio, e estava ajoelhado na margem, enchendo a boca de calda de chocolate quente, o mais rápido que podia.

Augusto Glupe entra pelo cano

Quando o Sr. Wonka se virou e viu o que Augusto Glupe estava fazendo, ele gritou:

— Não, *por favor*, Augusto, *por favor*! Não faça isso. Meu chocolate não pode ser tocado por mãos humanas!

— Augusto! — chamou a Sra. Glupe. — Você não ouviu o que o Sr. Wonka disse? Saia de perto desse rio de uma vez por todas!

— Isso é bom demais! — disse Augusto, não dando a mínima para a mãe e para o Sr. Wonka. — Nossa, preciso de um balde para beber isso direito!

— Augusto — gritou o Sr. Wonka, agitado e sacudindo a bengala no ar. — Você *tem* que sair daí. Você está sujando meu chocolate!

— Augusto! — gritou a Sra. Glupe.

— Augusto! — gritou o Sr. Glupe.

Mas Augusto só ouvia a voz do seu estômago. Estava estendido na grama, debruçado por cima do rio, lambendo o chocolate como se fosse um cachorro.

— Augusto! — berrou a Sra. Glupe. — Você está passando esse seu resfriado para milhões de pessoas, no país inteiro.

— Cuidado, Augusto! — gritou o Sr. Glupe. — Você está se debruçando demais!

O Sr. Glupe tinha razão. Na mesma hora escutaram um guincho, depois um *ploft*, e lá se foi Augusto Glupe para dentro do rio, e num segundo tinha afundado no chocolate.

— Salvem o meu filho! — gritava a Sra. Glupe, pálida, sacudindo o guarda-chuva. — Ele vai se afogar! Ele não sabe nadar nem meio metro! Salvem o meu filho!

— Ora, mulher — disse o Sr. Glupe. — Eu é que não vou mergulhar lá no meio. Estou com meu melhor terno!

O rosto de Augusto Glupe apareceu de novo na superfície, todo manchado de chocolate.

— Socorro! Socorro! Socorro! — gritava. — Venham me ajudar!

— Não fique aí *parado*! — a Sra. Glupe gritava para o marido. — Faça alguma coisa!

— Eu *estou* fazendo alguma coisa — disse o Sr. Glupe, tirando o paletó, preparando-se para mergulhar no chocolate. Mas, enquanto isso, o coitado do menino foi sendo sugado para perto da boca de um dos imensos canos suspensos sobre o rio. Então, de repente, Augusto foi sugado pela boca do cano.

As pessoas na margem do rio esperavam, com a respiração presa, para ver onde ele ia sair

— *Lá vai ele!* — alguém gritou, apontando para cima.

Como o cano era feito de vidro, todo mundo via o Augusto Glupe subindo como um torpedo.

— Socorro! Assassino! Polícia! — gritava a Sra. Glupe. — Augusto, volte, volte! Aonde você vai?

— É surpreendente — disse o Sr. Glupe. — Como esse cano é enorme! Até o Augusto cabe nele!

— Mas não é o suficiente! — disse Charlie Bucket. — Meu Deus, veja! Ele está parando!

— É mesmo! — disse o Vovô José.

— Ele vai ficar entalado! — disse Charlie.

— Acho que vai mesmo! — disse vovô José!

— Meu Deus, ele *entalou*! — disse Charlie.

— É por causa da barriga — disse o Sr. Glupe.

— Ele está bloqueando o cano! — disse vovô Jose.

— Quebrem o cano! — gritava a Sra. Glupe, ainda sacudindo o guarda-chuva no ar. — Augusto, saia já daí!

Quem olhava de baixo podia ver o chocolate batendo por todos os lados do menino, se acumulando por baixo dele, formando uma massa grossa, empurrando-o com força. A pressão era terrível. Alguma coisa tinha que acontecer. Alguma coisa tinha que ceder, e quem cedeu foi Augusto. VUUF! Lançado de novo para o alto, como uma bala de canhão!

— Ele sumiu! — gritou a Sra. Glupe. — Para onde vai esse cano? Depressa! Chamem os bombeiros!

— Calma, calma! — exclamou o Sr. Wonka. — Fique calma, minha senhora, fique calma. Não tem perigo nenhum! Augusto foi fazer uma viagenzinha, só isso. Uma viagenzinha muito interessante. Mas vai voltar dela muito bem, esperem e verão!

— Como é possível que ele consiga se sair bem!? — vociferou a Sra. Glupe. — Ele vai se transformar em uma musse em menos de cinco segundos!

— Impossível! — exclamou o Sr. Wonka. — Impensável! Inconcebível! Absurdo! Ele jamais será transformado em uma musse!

— E posso saber por quê? — gritou a Sra. Glupe.

— Porque aquele cano não passa nem perto das musses! O cano onde Augusto entrou vai dar direto na sala onde eu faço o mais delicioso tipo de calda de chocolate sabor morango...

— Então ele vai ser transformado em calda de chocolate com gosto de morango! — gritou a Sra. Glupe. — Coitadinho do meu Augusto! Amanhã ele vai estar sendo servido aos quilos pelo país inteiro!

— Isso mesmo — disse o Sr. Glupe.

— Eu *sei* que é isso mesmo — disse a Sra. Glupe.

— Não é brincadeira — disse o Sr. Glupe.

— Parece que o Sr. Wonka não pensa assim! — gritou a Sra. Glupe. — Olhe só para ele! Está se sacudindo de tanto rir! Como alguém *ousa* rir dessa maneira enquanto meu filhinho está correndo perigo no meio desses canos! Monstro! — guinchou ela, apontando o guarda-chuva para o Sr. Wonka e correndo na direção dele. O senhor acha engraçado, não é? Acha que o fato de meu filho ter sido sugado para a Sala de Calda de Chocolate é uma grande, uma enorme piada, não é mesmo?

— Ele vai sair são e salvo — disse o Sr. Wonka, dando uma risadinha.

— Ele vai virar calda de chocolate! — berrou a Sra. Glupe.

— Nunca! — exclamou o Sr. Wonka.

— E por que não? — berrou a Sra. Glupe.

— Porque teria um gosto horrível — disse o Sr. Wonka. — Pense bem. Calda de chocolate sabor Augusto Glupe! Ninguém compraria!

— Óbvio que compraria! — exclamou o Sr. Glupe, indignado.

— Não quero nem pensar nisso! — berrou a Sra. Glupe.

— Nem eu — disse o Sr. Wonka. — E eu juro, minha senhora, que seu filho querido sairá são e salvo.

— Se ele está tão bem, então onde ele está? — perguntou o Sr. Glupe. — Leve-me até ele agora mesmo!

O Sr. Wonka deu uma volta e estalou os dedos três vezes, *clep, clep, clep*. Imediatamente um umpa-lumpa apareceu ao lado dele, ninguém sabe de onde.

O umpa-lumpa fez uma reverência e sorriu, mostrando seus dentes lindos, branquinhos. Sua pele era clara, seus cabelos, castanho-dourados, e sua cabeça chegava bem na altura dos joelhos do Sr. Wonka. Usava uma pele de veado sobre os ombros.

— Agora, escute — disse o Sr. Wonka, olhando para baixo, para o minúsculo homenzinho. — Quero que você leve o Sr. e a Sra. Glupe para a Sala de Calda de Chocolate e os ajude a achar o filho, Augusto, que acabou de subir pelo cano.

O umpa-lumpa olhou para a Sra. Glupe e explodiu numa gargalhada.

— Fique quieto! — disse o Sr. Wonka. — Controle-se! A Sra. Glupe não está achando nenhuma graça!

— Não mesmo — disse a Sra. Glupe.

— Vá direto para a Sala de Calda de Chocolate — disse o Sr. Wonka ao umpa-lumpa. — Pegue um pau bem comprido e fique remexendo o barril de misturar chocolate. Tenho quase certeza de que vai encontrá-lo lá dentro. E seja rápido. Se ele ficar muito tempo dentro do barril, pode acabar indo para o tacho de fervura e, aí sim, vai ser um *desastre*! Vai estragar tudo! Meu chocolate vai ficar *incomível*!

A Sra. Glupe soltou um guincho furioso.

— Estou brincando — disse o Sr. Wonka, dando risadinhas por trás da barba. — Não quis dizer isso. Desculpe.

Sinto muito. Até logo, Sra. Glupe! Até logo, Sr. Glupe! Até depois...

Assim que o Sr. e a Sra. Glupe saíram com seu minúsculo acompanhante, os cinco umpa-lumpas do outro lado do rio começaram a pular e a dançar, tocando uns tambores bem pequenininhos.

— Augusto Glupe! — cantavam eles. — Augusto Glupe! Augusto Glupe! Augusto Glupe!

— Vovô! — exclamou Charlie. — Escute só, vovô! O que eles estão fazendo?

— Psssst! — sussurrou vovô José. — Acho que eles vão cantar uma música para nós!

Augusto-gusto! Augusto-gusto!
É olhar pra ele e morrer de susto!
Pão, requeijão, bala, macarrão,
Só pensa em comer o gordo bobão.
Não dá sossego, tudo ele quer,
Por todo canto ele mete a colher.
Não sabe cantar, não sabe sorrir,
Sua vida é só mastigar e engolir.
Menino mais chato, pessoa chinfrim!
O que fazer em casos assim?
A gente podia estalar o dedo
E fazer Augusto virar brinquedo!
Bola de gude, pião, peteca,
Jogo de damas, balão, boneca.
Mas desse menino tão mal-humorado
Só ia sair brinquedo quebrado.
E se o Augusto, minha gente,
Virasse um tubo de pasta de dente?

Mas pasta de dente tem gosto de menta,
E o gosto do Augusto ninguém aguenta!
Mudar de verdade esse paspalho
Vai dar mesmo muito trabalho.
Pra adoçar esse humor tacanho
A primeira coisa vai ser um banho.
Mas não pensem vocês que vai ser de chuveiro
O Augusto vai entrar de corpo inteiro
Num rio de calda de chocolate.
Depois então é bate-que-bate,
Põe creme, enrola e põe cobertura
Que tem de secar até ficar dura.
Essa receita é pra fazer bombom fino,
Mas não sei se dá certo bombom de menino.
É um bom tratamento, sem crueldade,
Ninguém está a fim de fazer maldade.
O Augusto é fogo, haja paciência!
Mas não é caso pra agir com violência.
Então não se assustem, não tenham medo.
Só queremos um Augusto menos azedo.

— Eu *disse* a vocês que eles adoravam cantar! — exclamou o Sr. Wonka. — Não são umas gracinhas? Não são encantadores? Mas não acreditem em nada do que eles estão dizendo. É tudo bobagem, brincadeira!

— Será que os umpa-lumpas estão mesmo brincando, vovô? — perguntou Charlie.

— Lógico que estão — respondeu vovô José. — Eles têm que estar brincando. Pelo menos, espero que estejam. Você também não espera?

Descendo o rio de chocolate

— Lá vamos nós! — exclamou o Sr. Wonka. — Depressa! Sigam-me até a próxima sala! E, por favor, não se preocupem com Augusto Glupe. Com toda a certeza ele vai ser expelido. Vamos continuar nossa visita de barco! Aí vem ele! Vejam!

Uma neblina de vapor se levantava do rio enorme e quente de chocolate, e, do meio da neblina, surgiu de repente um fantástico barco cor-de-rosa. Era um imenso barco a remo com a proa e a popa altas (como os velhos barcos dos vikings), tão brilhante que parecia feito de espelho cor-de-rosa. Tinha vários remos de ambos os lados, e, à medida que o barco se aproximava, as pessoas que estavam na margem foram percebendo que os remadores eram umpa-lumpas — havia no mínimo dez em cada remo.

— Esse é meu iate particular! — exclamou o Sr. Wonka, sorrindo com prazer. — Ele é esculpido em doce! Não é lindo? Vejam como vem deslizando pelo rio!

O incrível barco de doce cor-de-rosa deslizou até a margem do rio. Cem umpa-lumpas descansaram seus remos e fitaram os visitantes. Então, de repente, por alguma razão que só eles sabiam, começaram a rir com seu riso esganiçado.

— Qual é a graça? — perguntou Violeta Chataclete.

— Não ligue para eles! — exclamou o Sr. Wonka. — Estão sempre rindo! Acham tudo uma grande piada! Pulem todos para dentro do barco! Venham! Depressa!

Assim que todos se instalaram, os umpa-lumpas arrastaram o barco da margem e começaram a remar velozmente, rio abaixo.

— Ei, você aí! Miguel Tevel! — exclamou o Sr. Wonka. — Por favor, pare de lamber o barco. Ele vai ficar todo melado!

— Papai — disse Veroca Sal —, quero um barco igual a esse! Quero que você me compre um barco de doce cor-de-rosa igualzinho ao do Sr. Wonka. E também quero um monte de umpa-lumpas para remar, e quero um rio de chocolate, e quero... e quero...

— Ela quer uma boa lição — sussurrou vovô José para Charlie. O velhinho estava sentado na parte detrás do barco e o pequeno Charlie Bucket estava ao lado dele. Charlie segurava firme a mão velha e ossuda do avô. Ele estava tonto de tanto entusiasmo. Tudo o que já tinha visto, o enorme rio de chocolate, a cachoeira, os grandes canos sugadores, os campos de açúcar mentolado, os umpa-lumpas, o maravilhoso barco cor-de-rosa e, principalmente, o próprio Sr. Willy Wonka, era tudo tão extraordinário que Charlie se perguntava se ainda haveria mais alguma coisa espantosa para ser vista. E agora? Para onde estavam indo? O que iriam ver? O que iria acontecer na próxima sala?

— Não é maravilhoso? — disse vovô José, sorrindo para Charlie.

O menino concordou e sorriu para vovô José.

De repente, o Sr. Wonka, que estava sentado do outro lado de Charlie, pegou uma caneca no fundo do barco, mergulhou-a no rio, encheu-a de chocolate e ofereceu para Charlie.

— Beba — disse ele. — Vai lhe fazer bem! Você parece morto de fome!

Depois o Sr. Wonka encheu mais uma caneca e deu para vovô José.

— Você também — disse ele. — Parece um esqueleto! Qual é o problema? Não tem tido o que comer em casa?

— Não muito — disse vovô José.

Charlie levou a caneca até os lábios e um chocolate quentinho, cremoso, saboroso lhe desceu pela garganta, até sua barriga vazia. Todo o seu corpo, da cabeça aos pés, começou a tremer de prazer, e um sentimento de intensa satisfação tomou conta dele.

— Gostou? — perguntou o Sr. Wonka.

— Puxa, é maravilhoso! — disse Charlie.

— O chocolate mais delicioso e cremoso que já experimentei! — disse vovô José, estalando os lábios.

— É porque foi misturado pela cachoeira — disse o Sr. Wonka.

O barco descia o rio. O rio foi ficando mais estreito. À frente deles havia uma espécie de túnel escuro — um túnel grande e redondo, que parecia um cano gigante —, e o rio corria exatamente para dentro dele. E o barco também!

— Remem — gritava o Sr. Wonka, dando pulinhos e sacudindo a bengala no ar. — Força total, em frente!

Com os umpa-lumpas remando mais rápido do que nunca, o barco entrou no túnel escuro como breu, e todos os passageiros gritaram agitados.

— Como eles conseguem enxergar para onde estão indo? — guinchou Violeta Chataclete, no escuro.

— Não tem como saber para onde eles estão indo! — exclamou o Sr. Wonka, dando risada.

Não dá para adivinhar
Onde vão se enfiar
Não dá pra imaginar
Pra onde vão remar!
Luz nenhuma pra orientar
O perigo a aumentar
Vão remando sem enxergar
Sem saber onde parar
Pra onde vão nos levar...

— Está balançando! — gritou um dos pais, horrorizado.

E os outros fizeram coro, gritando assustados:

— Ele é louco!

— Ele é doidão!

— É malucão!

— É paspalhão!

— É piradão!

— É tontão!

— É caducão!

— É bobão!

— É patetão!

— É tolão!

— É loucão!

— É bobalhão!

— É birutão!

— É parvalhão!

— Não é *não*! — disse vovô José.

— Acendam as luzes! — gritou o Sr. Wonka. Imediatamente o túnel inteiro se iluminou e Charlie viu que, na verdade, estavam dentro de um cano gigantesco, e que o teto do cano era completamente branco, sem uma manchinha. O rio de chocolate corria veloz pelo cano, e os umpa-lumpas remavam furiosamente, e o barco continuava embalado, numa velocidade furiosa. O Sr. Wonka ia lá atrás, pulando, e mandava os remadores remarem cada vez mais depressa. Ele parecia estar adorando a emoção da corrida ao longo do túnel branco, num barco cor-de-rosa, no rio de chocolate. Batia palmas, ria e olhava para os passageiros, para ver se estavam se divertindo tanto quanto ele.

— Olhe, vovô! — gritou Charlie. — Uma porta na parede!

Era uma porta verde na parede do túnel, logo acima do nível do rio. Ao passarem voando por ela, só tiveram tempo para ler o que estava escrito: SALA DE ESTOQUE Nº. 54. TODOS OS CREMES, CREME DE LEITE, CREME CHANTILI, CREME DE VIOLETA, CREME DE CAFÉ, CREME DE ABACAXI, CREME DE BAUNILHA E CREME PARA CABELOS.

— Creme para cabelos?! — exclamou Miguel Tevel. — Não é possível que vocês usem creme para cabelos!

— Continuem remando! — gritou o Sr. Wonka. — Não podemos perder tempo respondendo a perguntas bobas!

Passaram voando por uma porta preta. SALA DE ESTOQUE Nº. 71, estava escrito. SALA DOS CHICOTES — DE TODAS AS FORMAS E TAMANHOS.

— Chicotes! — gritou Veroca Sal. — Para que vocês precisam de uma Sala de Chicotes?

— Para fazer creme batido, é óbvio — disse o Sr. Wonka. — Não dá para fazer creme batido sem chicotes, assim como não dá para fazer ovos estrelados sem estrelas. Remem, por favor!

Passaram por uma porta amarela onde estava escrito: SALA DE ESTOQUE Nº. 77 — SEMENTES DE TODOS OS TIPOS — SEMENTES DE CACAU, SEMENTES DE CAFÉ, SEMENTES DE GELEIA E SEMENTES DE JÁ ERA.

— *Já era?* — gritou Violeta Chataclete.

— Você mesma é uma já era! — disse o Sr. Wonka. — Não temos tempo para discutir. Vamos em frente, em frente!

Cinco segundos depois, quando avistaram uma porta vermelha brilhante, o Sr. Wonka, balançando a bengala de castão de ouro, ordenou:

— Parem o barco!

Sala das Invenções Puxa-Puxas Perpétuos e Caramelo de Cabelo

Quando o Sr. Wonka gritou "Parem o barco!", os umpa-lumpas cravaram seus remos no rio, empurrando a água com toda a força.

Os umpa-lumpas levaram o barco até a porta vermelha. Nela estava escrito: SALA DAS INVENÇÕES — PARTICULAR — MANTENHA DISTÂNCIA. O Sr. Wonka tirou uma chave do bolso, pulou para a borda do barco e colocou a chave na fechadura.

— *Esta* é a sala mais importante da fábrica inteira! — disse ele. — Aqui é onde as minhas invenções mais secretas estão sendo criadas e produzidas! O velho Melagruder daria os dentes para entrar nesta sala, nem que fosse por três minutos! A mesma coisa Naribick, Lesmarmoth e todos os outros fabricantes fajutos de chocolates! Mas escutem o que vou dizer! Nada de bagunça quando entrarem! Não toquem em nada, não se intrometam em nada e não experimentem nada. Combinado?

— Combinado! — exclamaram as crianças. — Não vamos tocar em nada!

— Até hoje — disse o Sr. Wonka — ninguém teve permissão para entrar aqui, nem mesmo um umpa-lumpa!

Ele abriu a porta e saltou do barco para a sala. As quatro crianças acompanhadas de seus pais e o avô de Charlie saíram atrás dele.

— Não toquem em nada! — gritou o Sr. Wonka. — Não joguem nada no chão!

Charlie Bucket olhava a seu redor extasiado. Parecia que estavam na cozinha de uma bruxa feiticeira. Caldeirões de ferro preto ferviam, borbulhavam em fogões gigantes, chaleiras assobiavam, tachos chiavam, enquanto umas máquinas de ferro esquisitas tilintavam. Havia canos por todos os lados, nas paredes, nos telhados. Tudo exalava vapores, fumaças e cheiros maravilhosos.

O próprio Sr. Wonka estava mais entusiasmado do que de costume, e qualquer um percebia que aquela era sua sala predileta. Ele saltitava entre suas máquinas e panelas como uma criança no meio de presentes de Natal, sem saber o que ver primeiro. Levantou a tampa de um caldeirão imenso e deu uma cheiradinha; depois enfiou o dedo num barril com uma pasta amarela e experimentou; saltou até uma das máquinas e girou meia dúzia de botões para um lado e para o outro. Depois ficou olhando atentamente através da porta de vidro de um forno gigantesco, esfregando as mãos e sorrindo maravilhado. Então correu para uma outra máquina, uma engenhoca pequena e brilhante que fazia *fut, fut, fut, fut* — e cada vez que ela fazia *fut* expelia uma bolinha verde e marmorizada como uma bolinha de gude num cesto que havia no chão. Pelo menos parecia mármore.

— Puxa-puxas perpétuos! — exclamou o Sr. Wonka, orgulhoso. — São a última novidade! Estão sendo inventados para crianças que ganham pouco dinheiro de mesada. Esses puxa-puxas a gente chupa, chupa, chupa, chupa, e eles *nunca* diminuem!

— É como chiclete! — gritou Violeta Chataclete.

— *Não é* como chiclete, não! — disse o Sr. Wonka. — Chiclete é para mascar, e se você tentar mascar um destes puxa-puxas você quebra os dentes! E tem mais: eles *nunca* diminuem! Eles *nunca* somem! NUNCA! Pelo menos é o que eu acho! Um deles está sendo testado neste exato momento na Sala de Testes ao lado. Um umpa-lumpa está chupando o puxa-puxa há quase um ano, sem parar, e o puxa-puxa está melhor do que nunca!

"Agora por aqui — continuou o Sr. Wonka, saltitando até o outro lado da sala. — Aqui, estou inventando uma linha completa de balas de caramelo! — Parou bem ao lado de uma panelona cheia de melaço grosso, viscoso, arroxeado, que fervia e borbulhava. Ficando na ponta dos pés, o pequeno Charlie conseguia enxergar dentro da panela.

"Isso é Caramelo de Cabelo! — exclamou o Sr. Wonka. — É só comer um pedacinho minúsculo que, depois de exatamente meia hora, um chumaço de cabelo novo em folha, denso e sedoso, começa a crescer no topo da cabeça da gente! E também crescem barba e bigode!"

— Barba! — gritou Veroca Sal. — Mas quem é que vai querer uma barba, por acaso?

— Ficaria muito bem em você! — disse o Sr. Wonka. — Mas infelizmente a mistura ainda não deu muito certo. Está muito forte. Funciona bem demais. Ontem eu testei num umpa-lumpa na Sala de Testes e imediatamente uma barba grossa e preta começou a nascer no queixo dele, e a barba cresceu tão rápido que logo se esparramou pelo chão, formando um tapete felpudo. Crescia mais depressa do que conseguíamos cortar! Por fim, tivemos que usar um cortador de grama para conseguir controlá-la! Logo vou encontrar a solução para essa mistura, e então meninos e meninas não terão mais desculpas para andar por aí com a cabeça careca!

— Mas, Sr. Wonka — disse Miguel Tevel —, *nem* meninos nem meninas andam por aí com...

— Não discuta, meu caro, não discuta! — exclamou o Sr. Wonka. — É uma perda de tempo precioso! Agora subam por aqui, todos vocês, que eu vou mostrar uma coisa da qual tenho um orgulho imenso! Cuidado! Não derrubem nada! Mantenham distância!

A gigantesca máquina de chiclete

O Sr. Wonka levou o grupo até uma máquina enorme que ficava bem no meio da Sala das Invenções. Era uma montanha de metal reluzente que se erguia diante das crianças e de seus pais. Bem do topo dela saíam centenas e centenas de tubos de vidro fininhos, curvados para baixo, que se juntavam num feixe suspenso sobre uma barrica do tamanho de uma imensa banheira.

— Vamos lá! — gritou o Sr. Wonka, e apertou três botões.

Em um segundo, um barulho estrondoso saiu de dentro da máquina e ela começou a chacoalhar e a soltar fumaça por todos os lados. De repente as pessoas perceberam que alguma coisa escorria por dentro das centenas de tubos de vidro, esguichando dentro da barrica gigante. Por cada tubo escorria um líquido de cor diferente, de modo que todas as cores do arco-íris (e várias outras também) iam esguichando e espirrando. Era uma visão fascinante. E, quando a barrica estava quase cheia, o Sr. Wonka apertou outro botão e imediatamente o líquido desapareceu, deixando um zumbido em seu lugar. Então um misturador gigante começou a girar dentro da barrica, misturando todos os líquidos coloridos, como se fosse um milkshake colorido. Aos poucos a mistura começou a espumar. Foi espumando cada vez mais e mudando de cor: do azul para o branco, para o verde, para o marrom, para o amarelo, depois para o preto e de novo para o azul.

— Vejam! — disse o Sr. Wonka.

A máquina fez *clic* e o misturador parou de misturar. Começou a fazer um barulho de sucção e logo toda aquela mistura azul espumante que estava na barrica gigante foi sugada para o estômago da máquina. Houve um momento de silêncio. Então se ouviram roncos esquisitos. Novamente um silêncio. Aí, de repente, a máquina soltou um rugido forte e, do lado dela, pulou uma gavetinha. Dentro da gaveta havia uma coisa tão pequena, fina e cinzenta que todo mundo achou que tinha havido algum engano: parecia uma tira de papelão cinzenta.

As crianças e os pais ficaram olhando espantados para aquela tirinha cinzenta dentro da gaveta.

— Quer dizer que é só isso? — disse Miguel Tevel, desdenhoso.

— Só isso — respondeu o Sr. Wonka, olhando orgulhoso o resultado. — Você tem ideia do que seja isso?

Houve uma pausa. Então, Violeta Chataclete, aquela bobinha do chiclete, deu um grito de alegria.

— Chicletes, nossa, isso é *chiclete*! — berrou ela. — É um pedaço de chiclete!

— Acertou! — exclamou o Sr. Wonka, batendo forte nas costas de Violeta. — É um chiclete! O chiclete mais *surpreendente*, *fabuloso* e *sensacional* do mundo!

Passe bem, Violeta

— Esse chiclete — continuou o Sr. Wonka — é minha última invenção, a maior e mais sensacional de todas! É um chiclete-refeição! É... É... É... aquele pequeno pedaço de chiclete ali vale por um superjantar!

— Que bobagem é essa? — disse um dos pais.

— Prezado senhor — exclamou o Sr. Wonka —, quando eu começar a vender esse chiclete nas lojas, vai ser uma *revolução*! Vai ser o fim de todas as cozinhas e cozinheiras! Não será mais preciso fazer compras! Adeus às compras de carnes e verduras! Adeus às facas e aos garfos! Adeus aos pratos! Adeus à lavagem de louças, ao lixo e à sujeira! Só um pedacinho do chiclete mágico Wonka dará tudo o que precisamos para o café da manhã, almoço e jantar! Esse pedacinho que acaba de sair da máquina é sopa de tomate, rosbife e torta de mirtilo, mas cada um pode escolher seu cardápio.

— O que você *quer dizer* com "é sopa de tomate, rosbife e torta de mirtilo"? — perguntou Violeta Chataclete.

— Se você começar a mascá-lo — disse o Sr. Wonka —, é exatamente o que vai comer. É fantástico! Você *sente* a comida descer pela garganta e chegar à barriga! Sente perfeitamente o gosto! E fica satisfeito! Nutrido! É maravilhoso!

— Absolutamente impossível! — disse Veroca Sal.

— Sendo chiclete — exclamou Violeta Chataclete —, sendo um pedaço de borracha que dê para mascar, então *é comigo*! — Ela tirou depressa da boca seu chiclete do recorde mundial e grudou atrás da orelha. — Vamos lá, Sr. Wonka — ela disse —, me passe esse seu chiclete mágico, vou ver se funciona mesmo.

— Violeta — disse a Sra. Chataclete —, deixe de bobagem, Violeta.

— Eu quero esse chiclete — pediu Violeta, obstinada. — Que bobagem há nisso?

— Acho melhor não mexer com ele por enquanto — disse o Sr. Wonka. — Veja bem, eu ainda não sei *se está perfeito*. Ainda tem umas coisinhas para acertar...

— Ora, deixe de onda! — exclamou Violeta e, antes que o Sr. Wonka pudesse impedi-la, esticou a mão, pegou o chiclete dentro da gaveta e o enfiou na boca. Na mesma hora, suas mandíbulas grandes e bem treinadas começaram a mascar.

— Não faça isso! — disse o Sr. Wonka.

— Fantástico! — exclamou Violeta. — É sopa de tomate! Quente, cremosa, deliciosa! Estou sentindo a sopinha descendo pela garganta!

— Pare! — disse o Sr. Wonka —, o chiclete ainda não deu totalmente certo!

— Óbvio que deu certo! — disse Violeta. — Está funcionando perfeitamente! Ah, que delícia de sopa!

— Ouça o que estou dizendo — disse o Sr. Wonka. — Jogue isso fora!

— Está mudando! — exclamou Violeta, mascando e dando um sorrisinho. — O segundo prato está chegando! É rosbife! Está macio e suculento! Nossa, que sabor! A batata assada está maravilhosa também! Está com a casquinha crocante cheinha de manteiga!

— Mas que *interessante*, Violeta — disse a Sra. Chataclete —, como você é sabida!

— Continue mascando, filha, continue! — incentivava o Sr. Chataclete. — Hoje é um dia especial para os Chataclete! Nossa filhota é a primeira pessoa no mundo a comer uma refeição de chiclete!

Todo mundo estava de olho em Violeta Chataclete, que mastigava aquele chiclete extraordinário. O pequeno Charlie Bucket, completamente fascinado, observava aqueles lábios elásticos que abriam e fechavam, e o vovô José, logo atrás dele, de boca aberta, encarava a menina. O Sr. Wonka torcia as mãos, dizendo:

— Não, não e não! Ainda não está pronto para ser comido! Não está acabado! Pare com isso!

— Torta de mirtilo e creme! — gritou Violeta. — Já senti o gostinho. Perfeito! Que maravilha! Como se eu estivesse mesmo engolindo! Mastigando e engolindo a melhor torta de mirtilo do mundo!

— Minha nossa! — gritou a Sra. Chataclete, de repente. — Violeta, o que está acontecendo com seu nariz?

— Ora, mamãe, fique quieta, me deixe acabar! — respondeu Violeta.

— Seu nariz está ficando azul! — gritou a Sr. Chataclete. — Da cor de um mirtilo!

— Sua mãe tem razão! — urrou o Sr. Chataclete. — O seu nariz está roxo! Inteirinho!

— O quê? — perguntou Violeta, ainda mastigando.

— Suas bochechas! Também estão azuis! — guinchou a Sra. Chataclete. — E o seu queixo! Seu rosto inteiro está azul!

— Cuspa esse chiclete imediatamente — ordenou o Sr. Chataclete.

— Deus nos ajude! — berrou a Sra. Chataclete. — A menina está ficando toda azul e roxa! Até o cabelo está mudando de cor! Violeta, você está ficando violeta, Violeta! O que está *acontecendo* com você?

— Eu *avisei* que o chiclete ainda não tinha dado totalmente certo — suspirou o Sr. Wonka, balançando a cabeça tristemente.

— Óbvio que não tinha! — gemeu a Sra. Chataclete. — Veja a menina, agora!

Todos estavam com os olhos pregados em Violeta. Que visão estranha! Rosto, mãos, pernas e pescoço, na verdade a pele do corpo todo, e até o cabelo encaracolado, estava tudo azul-arroxeado, cor de mirtilos amassados!

— Sempre dá errado quando chegamos na sobremesa! — suspirou o Sr. Wonka. — É a torta de mirtilo que produz esse efeito. Mas um dia eu ainda acerto, vocês vão ver!

— Violeta! — gritou a Sra. Chataclete —, você está inchando!

— Estou enjoada! — disse Violeta.

— Está inchando cada vez mais! — repetiu a Sra. Chataclete.

— Estou me sentindo esquisita! — gaguejou Violeta.

— Não me espanta nem um pouco! — exclamou o Sr. Chataclete.

— Nossa! — gritou a Sra. Chataclete. — Você está se inflando como um balão!

— Como um mirtilo! — corrigiu o Sr. Wonka.

— Chame um médico! — exigiu o Sr. Chataclete.

— Fure-a com um alfinete! — sugeriu um dos outros pais.

— Salvem minha filha! — implorou a Sra. Chataclete, torcendo as mãos.

Mas não havia mais jeito. O corpo de Violeta ia inchando e mudando de forma tão depressa que em um minuto tinha se transformado num daqueles balões redondos — como um mirtilo, mesmo. De Violeta Chataclete só tinha sobrado um parzinho de pernas e de braços espetados naquela frutona e, no topo, uma cabecinha desproporcional.

— É sempre a mesma coisa! — suspirou o Sr. Wonka. — Já testei vinte vezes na Sala de Testes, em vinte umpa-lumpas, e todos acabaram ficando como um mirtilo. É demais. Não dá para entender!

— Mas eu não quero uma filha mirtilo! — gritou a Sra. Chataclete. — Faça-a voltar ao natural agora mesmo!

O Sr. Wonka estalou os dedos e dez umpa-lumpas apareceram imediatamente ao seu lado.

— Ponham a srta. Chataclete no barco — ordenou — e levem-na à Sala dos Sucos, imediatamente!

— À Sala dos Sucos? — gritou a Sra. Chataclete. — O que vão fazer com ela?

— Espremê-la — respondeu o Sr. Wonka. — Temos que espremer já o suco dela. Depois vamos ver o que acontece. Mas não se preocupe, Sra. Chataclete. Vamos consertá-la não importa como. Sinto muito. Realmente estou desolado...

Os dez umpa-lumpas foram rolando o enorme mirtilo pelo chão da Sala das Invenções em direção à porta que ia dar no rio de chocolate, onde o barco os esperava. O Sr. e a Sra. Chataclete saíram correndo atrás deles. Os outros, inclusive Charlie Bucket e o vovô José, ficaram absolutamente imóveis, vendo-os passar.

— Escute — sussurrou Charlie. — Escute, vovô! Os umpa-lumpas do barco começaram a cantar.

O som das vozes, cem vozes cantando ao mesmo tempo, chegava nitidamente à sala:

Criança que não tira chiclete da boca
Fica com cara de cabeça oca,
É pior ainda que criança remelenta,
Mais irritante, feia e nojenta.
A propósito disso me vem à memória
Esta trágica, horrível e triste história:

Era uma vez a doce Teresa
Que apesar de dona de rara beleza,
Mulher de respeito e fina senhora
Comprava chiclete a toda hora.
Mascava chiclete o dia inteiro,
Na cozinha, no quarto, no banheiro,
Na rua, no trabalho, dentro da igreja,
E até no barzinho tomando cerveja.
O chiclete da moça virou piada,
As pessoas comentavam e davam risada.
Um belo dia acabou a comédia
E o que era engraçado virou tragédia.
O hábito da moça virou mania;
Ela quis parar e não conseguia.
No meio da noite se o chiclete acabava,
Teresa ia mascando tudo o que achava:

Bala, macarrão, queijo, berinjela,
Se acabava a comida mascava a panela.
Mastigava almofada, toalha, tapete,
Pasta de dentes, escova e sabonete,
Bolsa, sacola e sola de sapato,
Ia pro jardim e comia até mato.
Sua boca mascava que nem maquininha
Teresa acabou perdendo o que tinha.
O queixo cresceu, a boca inchou,
Foi indo, foi indo, Teresa pirou.
Nem pra dormir ela tinha sossego.
É claro que acabou perdendo o emprego.
Por isso essa tal Violeta Chataclete
Que já é meio chata e metida a vedete
Precisa com urgência de uma lição
Porque daqui a pouco não tem salvação.
Uma coisa é saber que a menina Violeta
Sempre vai ser um pouco zureta.
Mas ninguém lhe deseja a imensa tristeza
De acabar maluca como a Teresa.

No corredor

— Muito bem! — suspirou o Sr. Willy Wonka —, duas crianças travessas já se foram. Ficaram três comportadas. Acho melhor dar o fora dessa sala antes que eu perca mais alguém!

— Mas, Sr. Wonka — disse Charlie Bucket, ansioso. — Será que Violeta Chataclete vai se curar, ou vai continuar mirtilo para sempre?

— Num instante vão espremer todo o suco dela! — afirmou o Sr. Wonka. — Vão colocá-la na máquina de fazer suco e ela vai sair fininha como um apito!

— Mas vai sair toda azul? — perguntou Charlie.

— Não, *roxa*! — gritou o Sr. Wonka. — Roxinha, da cabeça aos pés! Mas o que você esperava? É o mínimo que pode acontecer para quem fica o tempo todo mascando esses chicletes horríveis!

— Se o senhor acha que é uma coisa tão ruim — disse Miguel Tevel —, por que fabrica chicletes?

— Gostaria que você parasse de resmungar — pediu o Sr. Wonka. — Não consigo entender uma palavra do que está dizendo! Vamos! Venham atrás de mim, depressa! Vamos entrar outra vez nos corredores!

E, propondo isso, o Sr. Wonka correu até a extremidade da Sala das Invenções e saiu por uma portinha secreta, por trás de chaminés e fogões. As três crianças — Veroca Sal, Miguel Tevel, Charlie Bucket — e os cinco adultos o seguiram.

Charlie Bucket viu que estavam de volta a um daqueles corredores cor-de-rosa, compridos, de onde saiam outros corredores cor-de-rosa. O Sr. Wonka corria na frente, virando à esquerda e à direita, à direita e à esquerda, e vovô José dizia.

— Segure bem a minha mão, Charlie! Deve ser um horror se perder aqui!

O Sr. Wonka resmungava:

— Chega de conversa! Nessa moleza não vamos chegar a lugar algum!

E continuava pelos corredores rosados, com o chapéu preto encarapitado na cabeça e as abas do fraque cor de ameixa voando atrás dele como uma bandeira ao vento.

Passaram por uma porta.

— Não dá tempo para entrar! — gritou o Sr. Wonka. — Depressa! Mais depressa!

Passaram por outra porta, e outra, e outra. Agora, havia uma porta a cada vinte passos, no corredor, todas com alguma coisa escrita. Por trás ouviam-se barulhos estranhos, e cheiros deliciosos escapavam pelas fechaduras. De vez em quando um jato de vapor colorido passava espremido através das frestas.

Vovô José e Charlie andavam quase correndo para alcançar o Sr. Wonka, mas mesmo assim conseguiam ler o que estava escrito em algumas portas. Em uma, lia-se TRAVESSEIROS COMESTÍVEIS DE MARIA-MOLE.

— Travesseiros de maria-mole são uma delícia! — gritou o Sr. Wonka ao passar pela porta. — Vão fazer um sucesso estrondoso quando chegarem às lojas! Mas não dá tempo para entrar! Não dá tempo!

PAPEL DE PAREDE LAMBÍVEL PARA QUARTOS DE CRIANÇA, estava escrito em outra porta.

— Ah, o papel lambível é uma glória! — exclamou o Sr. Wonka, na corrida. — Tem desenho de frutas — bananas, maçãs, laranjas, uvas, abacaxis, morangos e dorminhocabas.

— Dorminhocabas? — perguntou Miguel Tevel.

— Não interrompa! — zangou-se o Sr. Wonka. — O papel tem figuras de todas essas frutas, e quando a gente lambe o desenho de uma banana sente gosto de banana. Quando lambe um morango, o sabor é de morango. E quando a gente lambe uma dorminhocaba, sente direitinho o gosto de dorminhocaba...

— E que gosto tem dorminhocaba?

— Pronto, já começou a resmungar de novo — disse o Sr. Wonka. — Da próxima vez, fale mais alto. Vamos lá! Depressa!

SORVETES QUENTES PARA DIAS FRIOS, anunciava outra porta.

— Extremamente útil para o inverno — comentou o Sr. Wonka, sem parar a correria. — O sorvete quente aquece a gente em dias gelados. Também produzo cubos de gelo quente para colocar em bebidas quentes. Os cubos de gelo fazem as bebidas que já são quentes ficarem mais quentes ainda.

Outra porta: VACAS QUE DÃO LEITE DE CHOCOLATE.

— Ah, minhas vaquinhas queridas! Como adoro essas vacas! — exclamou o Sr. Wonka.

— Por que não podemos vê-las? — perguntou Veroca Sal. — Por que temos que passar correndo, sem entrar nessas salas maravilhosas?

— Vamos parar quando for a hora! — avisou o Sr. Wonka. — Que impaciência!

BEBIDAS ESPUMANTES QUE LEVANTAM O ÂNIMO, outra porta.

— Ah, estas são fabulosas! Enchem a gente de bolhas, e as bolhas contêm um gás animador especial. Esse gás levanta tanto o ânimo que a pessoa vai subindo como um balão, até bater com a cabeça no teto e... fica lá em cima.

— Mas como a gente faz para descer? — perguntou Charlie.

— É só arrotar. A pessoa dá um arroto bem forte, o gás sobe e ela desce! Mas não se deve tomar essa bebida ao ar livre! Nunca se sabe a que altura se pode subir. Certa vez eu dei um pouco para um velho umpa-lumpa beber, no quintal, e ele subiu, subiu até sumir. Foi uma tristeza. Nunca mais nós o vimos.

— Ele deveria ter arrotado? — perguntou Charlie.

— Óbvio, deveria ter arrotado. Fiquei berrando aqui embaixo: "Arrote, seu burro, senão você nunca mais vai descer!" Mas ele não quis ou não conseguiu. Talvez fosse educado demais para arrotar. A essa altura já deve estar na Lua.

Na porta seguinte estava escrito: DOCES QUADRADOS E CURIOSOS.

— Esperem! — gritou o Sr. Wonka, parando de repente. — Tenho um orgulho imenso dos meus doces quadrados e curiosos. Vamos dar uma olhadinha.

Doces quadrados e curiosos

Todos pararam e se amontoaram na porta, que tinha a parte de cima de vidro. Vovô José ergueu Charlie para ele ver melhor o que tinha lá dentro. Charlie viu uma mesa comprida e, em cima dela, fileiras de doces branquinhos e quadrados. Pareciam cubinhos comuns de açúcar — só que em cima de cada um tinha uma carinha cor-de-rosa pintada. Na ponta da mesa, alguns umpa-lumpas iam pintando as caras nos doces.

— Aí estão — apontou o Sr. Wonka. — Doces quadrados e curiosos!

— Para mim são doces muito comuns! — exclamou Miguel Tevel.

— Comuns mesmo — afirmou Veroca Sal. — São cubinhos de açúcar.

— Mas eles *são* comuns — disse o Sr. Wonka. — Eu nunca disse o contrário.

— O senhor disse que eles eram *curiosos* — disse Veroca Sal.

— E são mesmo — falou o Sr. Wonka.

— Curiosos por quê? — perguntou Veroca Sal. — Não estou vendo nada de diferente.

— Veroca, minha querida — disse o Sr. Sal. — Não dê ouvidos ao Sr. Wonka! Ele está inventando moda!

— Meu caro galo velho! — exclamou o Sr. Wonka. — Vá plantar coquinho!

— Como ousa falar comigo desse jeito? — gritou o Sr. Sal.

— Ora, fique quieto! — disse o Sr. Wonka. — Vejam só uma coisa!

Tirou uma chave do bolso, destrancou a porta e a escancarou... e de repente... com o barulho, todos os docinhos voltaram os olhos para a porta, para ver quem era. Seus rostinhos literalmente viraram em direção à porta e encararam o Sr. Wonka.

— Viram?! — exclamou o Sr. Wonka, triunfante. — Estão querendo saber quem chegou. Como são curiosos, esses doces quadrados!

— Meu Deus! Ele tem razão! — disse vovô José.

— Venham — chamou o Sr. Wonka, descendo pelo corredor. — Vamos lá, não podemos perder tempo.

Numa porta por onde passaram estava escrito: CARAMELOS DE GIM E DE UÍSQUE.

— Isso já parece mais interessante — disse o Sr. Sal, pai de Veroca.

— São uma maravilha — afirmou o Sr. Wonka —, os umpa-lumpas adoram! Aqui eles ficam meio alegrinhos. Escutem só a algazarra que estão fazendo!

Através da porta, ouviam-se guinchos, gargalhadas e cantoria.

— Estão bêbados feito gambás! — disse o Sr. Wonka. — Estão enchendo a cara de caramelos de gim e de uísque, são seus preferidos. Caramelos de gim-tônica também fazem sucesso. Vamos indo, por favor! Não podemos perder tempo!

Virou à esquerda. Virou à direita. Chegaram a uma escada imensa. O Sr. Wonka desceu escorregando pelo corrimão. As crianças também. A Sra. Sal e a Sra. Tevel, as duas únicas mulheres que sobraram, estavam ficando sem fôlego. A Sra. Sal era uma mulher gorda de pernas curtas e bufava como um rinoceronte.

— Por aqui! — gritou o Sr. Wonka, virando à esquerda no fim da escada.

— Devagar! — implorou a Sra. Sal.

— Impossível! — exclamou o Sr. Wonka. — Senão não chegaremos a tempo!

— Não chegaremos aonde? — perguntou Veroca Sal.

— Não interessa! — disse o Sr. Wonka. — Espere para ver!

Veroca na Sala das Nozes

O Sr. Wonka continuou correndo pelo corredor. A porta seguinte trazia a seguinte inscrição: SALA DAS NOZES.

— Bem — disse o Sr. Wonka. — Vamos parar aqui um pouco, tomar fôlego e dar uma espiada pelo vidro da porta. Mas não entrem. Não entrem de jeito nenhum na Sala das Nozes, senão vão atrapalhar os esquilos!

Todos se amontoaram em volta da porta.

— Olhe, vovô, olhe! — mostrou Charlie.

— Esquilos! — exclamou Veroca Sal.

— Gente! — disse Miguel Tevel.

Era uma cena incrível. Uma centena de esquilos sentados em banquinhos altos, em volta de uma mesa grande. Na mesa havia montes e montes de nozes, e os esquilos trabalhavam furiosamente, descascando as nozes a toda velocidade.

— Esses esquilos são especialmente treinados para tirar as nozes das cascas — explicou o Sr. Wonka.

— Por que usar esquilos? — perguntou Miguel Tevel. — Por que não usam umpa-lumpas?

— Porque os umpa-lumpas não conseguem tirar as nozes inteiras. Sempre as quebram no meio. Só os esquilos tiram *sempre* nozes *inteiras*. É dificílimo. Mas na minha fábrica faço questão de nozes inteiras. O jeito é contratar esquilos. Não é incrível como descascam essas nozes?

Primeiro dão uma batidinha em cada uma com o nó dos dedos para ver se a noz é boa. Se não é, ela faz um barulho oco, e eles nem tentam abrir. Jogam no lixo. Olhem aquele esquilo que está aqui mais perto! Descobriu uma ruim!

Viram o esquilo bater na noz, inclinar a cabeça para o lado, escutar atentamente e jogar a noz por cima dos ombros, num buraco no chão.

— Ei, mamãe! — gritou Veroca Sal, de repente. — Resolvi que quero um esquilo. Quero um esquilo desses.

— Não seja boba, meu amor. São todos do Sr. Wonka.

— Não me interessa! Quero um! Em casa só tenho dois cachorros e quatro gatos e seis coelhos e dois periquitos e três canários e um papagaio verde e uma tartaruga e um aquário de peixes dourados e uma gaiola de ratos brancos e hamsters. Eu quero um *esquilo*!

— Tudo bem, meu bichinho — acalmou a Sra. Sal. — A mamãe vai arranjar um esquilo logo que puder!

— Mas não quero *qualquer* esquilo velho! — gritou Veroca. — Quero um esquilo *treinado*!

A essa altura, o pai de Veroca, o Sr. Sal, deu um passo à frente.

— Muito bem, Wonka — disse ele, com ares de importância, tirando do bolso uma carteira cheia de dinheiro. — Quanto quer por um esquilo desses? Diga o preço.

— Não estão à venda — respondeu o Sr. Wonka. — Ela não vai poder ganhar nenhum.

— Quem disse que não vou? Vou pegar um para mim, e é já!

— Não faça isso! — avisou depressa o Sr. Wonka, mas já era tarde. A menina já tinha aberto a porta e entrado correndo.

Na hora em que entrou, os cem esquilos interromperam o que estavam fazendo e voltaram-se para a menina, encarando-a com olhinhos que pareciam pequenas contas pretas.

Veroca Sal também parou e enfrentou o olhar deles, até que se fixou num esquilo bonitinho sentado perto dela, na ponta da mesa. O bicho estava segurando uma noz com as patas.

— Muito bem — disse Veroca —, vai ser este!

Esticou as mãos para agarrar o esquilo... mas, assim que fez esse gesto, um movimento atravessou a sala, como se fosse um raio de luz marrom, e todos os esquilos voaram para cima da menina.

Vinte e cinco agarraram seu braço direito.

Vinte e cinco agarraram seu braço esquerdo.

Vinte e cinco agarraram sua perna direita.

Vinte e quatro agarraram sua perna esquerda.

E o esquilo que sobrou (obviamente o líder) subiu pelo ombro de Veroca e começou a dar coques na cabeça dela.

— Salvem minha filha! — gritava a Sra. Sal.

— Veroca, volte aqui! O *que* estão fazendo com ela?

— Testando para ver se é uma noz estragada — disse o Sr. Wonka. — Olhe bem!

Veroca lutava furiosamente, mas os esquilos a seguravam com força e ela não conseguia se mexer. O esquilo pendurado no seu ombro continuava a lhe dar coques na cabeça.

Então, de repente, os esquilos puxaram Veroca para o chão e começaram a arrastá-la pelo piso.

— Meu Deus, ela *é* uma noz estragada afinal de contas — comentou o Sr. Wonka. — A cabeça dela deve ser bem oca.

Veroca se debatia e gritava, mas não adiantava. As patinhas seguravam firme e não a deixavam escapar.

— Para onde vão levá-la? — berrou a Sra. Sal.

— Para onde vão todas as nozes estragadas: para o cano de lixo — explicou o Sr. Wonka.

— Não é possível! Ela vai para o lixo? — perguntou a Sra. Sal, olhando a filha pelo vidro. — Então, salve-a, por favor.

— Tarde demais. Já foi — constatou o Sr. Wonka.

E já tinha ido mesmo.

— Mas para onde? — urrava a Sra. Sal, girando os braços, sem saber o que fazer. — O que acontece com as nozes estragadas? Onde vai dar o cano de lixo?

— Esse cano vai dar diretamente no cano maior que leva todo o lixo da fábrica: a sujeira que é varrida do chão, as cascas de batata, os repolhos podres, as cabeças de peixe e coisas assim.

— Gostaria de saber quem come peixe com repolho nesta fábrica — disse Miguel Tevel.

— Óbvio que sou eu — respondeu o Sr. Wonka. — Você não está pensando que eu vivo só de semente de cacau, não é?

— Mas... mas... mas — suplicava a Sra. Sal — onde é que vai dar, afinal, o cano grande de lixo?

— Ora, no forno, é óbvio — explicou o Sr. Wonka calmamente. — No incinerador.

A Sra. Sal abriu o bocão vermelho e começou a gritar.

— Não se preocupe — tentou acalmá-la o Sr. Wonka —, há sempre uma possibilidade de que o forno não tenha sido aceso hoje.

— Uma possibilidade?! — berrou a Sra. Sal. — Minha Veroca querida! Vai fritar como uma linguiça!

— Exatamente, minha querida — disse o Sr. Sal. — Agora veja bem, Wonka. Acho que desta vez você foi um pouco longe demais. Longe demais. Tenho que admitir que minha filha é meio rabugenta, mas isso não quer dizer que você pode assá-la até tostar. Quero que saiba que estou extremamente zangado, estou mesmo.

— Ora, não se zangue, meu caro. Acho que ela aparecerá, mais cedo ou mais tarde! Talvez nem tenha caído até lá embaixo. Pode estar encalhada na entrada e, se for esse o caso, é só puxá-la de volta.

Ao ouvir isso, o Sr. e a Sra. Sal entraram correndo na Sala das Nozes e debruçaram-se no buraco do cano.

— Veroca! — gritou a Sra. Sal.

Ninguém respondeu.

A Sra. Sal inclinou-se um pouco mais para ver melhor. Estava, agora, ajoelhada na beirada do buraco com a cabeça para baixo e o traseiro para cima, como um cogumelo gigante. Era uma posição perigosa. Um empurrãozinho no lugar certo... e foi exatamente *isso* o que os esquilos fizeram com ela! A Sra. Sal despencou, de cabeça, berrando como um papagaio.

— Meu Deus do céu! — berrou o Sr. Sal ao ver sua esposa descendo pelo buraco do lixo. — Quanto lixo vai ter hoje!

Viu a esposa desaparecer no escuro.

— Como vão as coisas por aí, Angina? — gritou ele, debruçando-se ainda mais sobre o buraco.

Os esquilos correram para trás dele...

— Socorro! — gritou o Sr. Sal.

Mas ele já estava caindo de ponta-cabeça, e lá se foi pelo cano, exatamente como antes dele tinham ido a mulher — e a filha.

— Ah, nossa! — exclamou Charlie, que estava olhando pelo vidro da porta. — O que vai acontecer com eles agora?

— Imagino que alguém os vá segurar no fim do cano — disse o Sr. Wonka.

— E o incinerador? — perguntou Charlie.

— Só o acendem dia sim, dia não. Talvez hoje seja o dia não. Quem sabe... É só ter sorte.

— Pssst! — murmurou vovô José. — Lá vem outra canção.

Ouvia-se no fim do corredor o bater de tambores, e a música começou.

Sal demais em qualquer comida
Deixa a gente com a garganta ardida.
Veroca Sal não é sal, é criança,
Mas deixou entre nós ardida lembrança.
Mimada, estragada, entojada, briguenta,
Tem tudo o que quer e não se contenta.
Escreveu não leu ela chama o pai,
Só abre a boca e pede o que sai:
Brinquedos, doces, qualquer bugiganga.
Se é tempo de uva ela pede manga,
Se em casa tem doce ela pede salgado,
Se tem rapadura ela pede melado.
Se está na Itália quer ir pra Argentina,
Se está na praia quer ir pra piscina.
Exige e quer tudo o que sonha
E o pai a obedece que nem um pamonha.
A mãe, outra tonta, está sempre aflita,
Naquela família só a filha é que apita.
Mas na fábrica quem manda é Seu Wonka
E a Veroca acabou levando uma bronca:
Você pensa que aqui está na sua casa?
Que pode pedir galinha sem asa
E querer transferir o Amazonas pro Nilo?
Pois só faltava querer um esquilo!
Pra uma menina com tanto capricho

O melhor lugar é no meio do lixo.
Mas não se preocupe, vai ter companhia,
Vai ter papel velho e caixa vazia,
Lasanha estragada ainda com molho,
Feijão azedo com resto de repolho,
Espinha de peixe, osso de galinha,
Casca de banana e lata sem sardinha.
Pra quem só conhece riqueza e luxo
Vai ser difícil aguentar o repuxo.
Mas pra Veroca é esse o remédio
Pra não acabar morrendo de tédio.
Pois essa mania de pedir só besteira
Bem lá no fundo é uma grande canseira

O elevador de vidro

— Nunca vi nada igual! — exclamou o Sr. Wonka. — As crianças estão sumindo como coelhos. Mas não se preocupem. *Todos* vão aparecer na lavagem.

O Sr. Wonka olhou o pequeno grupo ao seu lado, no corredor. Só haviam sobrado duas crianças — Miguel Tevel e Charlie Bucket. E três adultos — o Sr. e a Sra. Tevel e vovô José.

— Vamos andando? — perguntou o Sr. Wonka.

— Vamos, vamos! — exclamaram Charlie e vovô José ao mesmo tempo.

— Estou ficando com os pés doloridos — disse Miguel Tevel. — Quero assistir à televisão.

— Se está cansado, é melhor pegarmos o elevador — disse o Sr. Wonka. — Está ali. Vamos!

Aproximou-se de um par de portas duplas. As portas se abriram. As crianças e os adultos entraram.

— E agora qual o botão que vamos apertar? Escolham! — disse o Sr. Wonka.

Charlie Bucket olhou à volta, atônito. Era o elevador mais absurdo do mundo. Tinha botões por todos os lados! As paredes e até o *teto* eram cobertos por fileiras e fileiras de botõezinhos pretos. Devia haver uns mil em cada parede e uns mil no teto! Logo Charlie percebeu que cada botão tinha um rotulozinho indicando uma sala. Era só apertar o botão da sala para onde a gente quisesse ir.

— Não é um elevador comum, daqueles que sobem e descem — explicou o Sr. Wonka, todo orgulhoso. — Ele anda para o lado, para a frente, em diagonal e de qualquer outro jeito que se possa imaginar! Leva a qualquer sala da fábrica, seja ela onde for. É só apertar o botão e *zing*!... ele começa a se mover!

— Fantástico! — murmurou vovô José. Os olhos dele brilhavam de entusiasmo diante daquelas inúmeras fileiras de botões.

— O elevador inteiro é de vidro grosso e transparente. Paredes, portas, teto, chão, tudo de vidro para a gente poder ver o que acontece lá fora! — explicou ainda o Sr. Wonka.

— Mas não há nada para ver — respondeu Miguel Tevel.

— Escolha um botão. Cada uma das crianças pode escolher dois botões. Escolham. Depressa! Em cada sala há alguma coisa deliciosa e maravilhosa sendo feita.

Charlie começou a ler os rótulos dos botões.

MINA DE DOCES ROCHOSOS — 10.000 pés de profundidade.

RINQUES DE PATINAÇÃO DE SORVETE DE COCO-COCA.

PISTOLAS DE SUCO DE MORANGO.

ÁRVORES DE MAÇÃ-CARAMELO PARA PLANTAR EM SEU JARDIM — TODOS OS TAMANHOS.

DOCES EXPLOSIVOS PARA OS INIMIGOS.

PIRULITOS LUMINOSOS PARA CHUPAR NA CAMA, À NOITE.

JUJUBAS DE HORTELÃ PARA O VIZINHO — ELE FICARÁ COM DENTES VERDES POR UM MÊS.

CARAMELOS TAMPA-CÁRIES — O DENTISTA ESTÁ DISPENSADO!

GRUDA-QUEIXO PARA PAIS MUITO FALANTES.

DOCES MEXE-MEXE, QUE MEXEM DE UM JEITO GOSTOSO NA BARRIGA.

BARRAS DE CHOCOLATE INVISÍVEL PARA COMER NA AULA.

LÁPIS COBERTOS DE AÇÚCAR PARA CHUPAR.

PISCINAS DE LIMONADA EFERVESCENTE.

BOMBOM MÁGICO — VOCÊ O SEGURA NA MÃO E SENTE O GOSTO NA BOCA.

BALAS DE ARCO-ÍRIS — TINGE SEU CUSPE EM SEIS CORES.

— Vamos, vamos! — apressou o Sr. Wonka. — Não podemos ficar esperando o dia inteiro!

— No meio de tanta sala, será que não tem uma de televisão? — perguntou Miguel Tevel.

— Lógico que tem. Aquele botão ali — apontou o Sr. Wonka. Todo mundo olhou. No rótulo estava escrito: CHOCOLATE-TELEVISÃO.

— Obaaa! — exclamou Miguel Tevel. — Essa é pra mim! Ele apertou o botão e, na mesma hora, fez-se um barulhão. As portas se fecharam e o elevador pulou como se tivesse sido picado por uma vespa, mas pulou de lado! Todos caíram no chão, menos o Sr. Wonka, que se segurou num cordão que descia do teto.

— Levantem, levantem! — gritou o Sr. Wonka, gargalhando. Mas, quando conseguiram ficar de pé, o elevador mudou de direção e fez uma curva violenta. Todos despencaram de novo.

— Socorro! — berrou a Sra. Tevel.

— Segure minha mão, madame — ofereceu, galante, o Sr. Wonka. — Assim. E agora segure este cordão. Cada um se agarre a um cordão! A viagem ainda não acabou.

O velho vovô José conseguiu equilibrar-se e agarrou um cordão. Charlie, que era pequeno e não alcançava nenhum cordão, abraçou com força as pernas do avô.

O elevador continuou com a velocidade de um foguete. Logo começou a subir muito, como se estivesse escalando uma montanha íngreme. De repente, parecia que tinha chegado ao topo e estava despencando por um precipício, como se fosse uma pedra. O estômago de Charlie subiu à boca e vovô José gritou:

— Opa-lá-lá! Lá vamos nós!

E a Sra. Tevel urrou:

— A corda arrebentou! Vamos nos esborrachar!

Dando-lhe um tapinha tranquilizador no braço, o Sr. Wonka disse:

— Calma, minha senhora.

Vovô José olhou para Charlie, ainda agarrado às suas pernas.

— Você está bem, Charlie?

— Estou adorando — respondeu Charlie —, parece uma montanha-russa!

Através das paredes de vidro do elevador, eles vislumbravam algumas coisas estranhas e maravilhosas que aconteciam nas outras salas.

Uma mangueira enorme que esguichava um caldo marrom no chão...

Uma montanha de chocolate enorme e escarpada, cheia de umpa-lumpas, amarrados um ao outro com uma corda, que iam arrancando pedaços de chocolate das encostas...

Uma máquina que espirrava um pó branco, como uma tempestade de neve...

Um lago de caramelo soltando vapor...

Uma cidadezinha de umpa-lumpas cheia de casinhas e centenas de crianças umpa-lumpas, com menos de dez centímetros, brincando nas ruas...

O elevador foi aterrissando, e parecia estar despencando mais rápido do que nunca. Charlie ouvia o assobio do vento que batia, se enroscava, subia, descia...

— Vou vomitar! — berrou a Sra. Tevel, com a cara verde.

— Por favor, não vomite — pediu o Sr. Wonka.

— Tente me impedir! — disse a Sra. Tevel.

— Então é melhor usar isso — disse o Sr. Wonka, tirando a cartola da cabeça e colocando-a como se fosse um balde, na frente da boca da Sra. Tevel.

— Mande essa droga parar! — ordenou o Sr. Tevel.

— Não posso. Ele não para enquanto não chegar. Só espero que ninguém esteja usando o *outro* elevador nesse momento.

— Que *outro* elevador? — gritou a Sra. Tevel.

— O que vai no sentido oposto, mas no mesmo trilho que esse — explicou o Sr. Wonka.

— Minha nossa! Quer dizer que podemos dar uma trombada? — gritou o Sr. Tevel.

— Eu sempre tive sorte — afirmou o Sr. Wonka.

— Agora vou vomitar mesmo! — berrou a Sra. Tevel.

— Não, não. Agora não. Já estamos chegando. Não vá estragar meu chapéu.

Os freios rangeram, e o elevador diminuiu a velocidade até parar.

— Que viagem! — disse o Sr. Tevel, limpando a cara suada com um lenço.

— Nunca mais! — rosnou a Sra. Tevel. As portas do elevador se abriram e o Sr. Wonka disse:

— Um minuto de atenção! Quero que todos tomem muito cuidado nesta sala. Aqui há substâncias perigosas e vocês *não devem* mexer com elas!

A Sala de Chocolate-televisão

A família Tevel, Charlie e vovô José saíram do elevador e entraram numa sala tão brilhante e branca que precisaram fechar os olhos ofuscados e parar de andar. O Sr. Wonka entregou a cada pessoa um par de óculos escuros e ordenou:

— Coloquem esses óculos e não os tirem, aconteça o que acontecer. A luz pode cegá-los!

Logo que Charlie colocou os óculos conseguiu enxergar direito. Viu uma sala comprida e estreita, toda pintada de branco. Até o chão era branco e não havia um grão de poeira em lugar algum. Penduradas no teto havia umas lâmpadas enormes, que banhavam a sala com uma luz branco-azulada. A sala estava vazia, a não ser nas extremidades. Numa delas havia uma enorme câmera sobre rodas cercada por todo um exército de umpa-lumpas, que estavam colocando óleo nas engrenagens, ajustando botões e polindo a grande lente de vidro. Os umpa-lumpas estavam vestidos de um jeito estranhíssimo. Usavam roupas espaciais de um vermelho brilhante, com capacetes e óculos — pelo menos pareciam roupas espaciais —, e trabalhavam no mais completo silêncio. Ao vê-los, Charlie teve uma estranha sensação de perigo. Tudo aquilo parecia meio perigoso, e os umpa-lumpas bem que sabiam. Não conversavam nem cantavam, e se movimentavam devagar e com cuidado à volta da enorme câmera preta.

Na outra extremidade da sala, a uns cinquenta passos da câmera, havia um umpa-lumpa, também de roupa espacial, sentado na frente de uma mesa preta observando a tela de uma televisão enorme.

— Vamos lá! — gritou o Sr. Wonka, pulando de entusiasmo. — Esta é a Sala de Testes da minha última e maior invenção: o chocolate-televisão!

— Mas o que é chocolate-televisão? — perguntou Miguel Tevel.

— Que coisa, menino, pare de me interromper! — disse o Sr. Wonka. — Funciona por televisão. Eu mesmo não gosto de televisão. Em pequenas doses, tudo bem, mas as crianças em geral não sabem se controlar. Querem ficar sentadas em frente à tela o dia inteiro.

— Como eu! — exclamou Miguel Tevel.

— Cale a boca — mandou o Sr. Tevel.

— Obrigado — disse o Sr. Wonka. — Deixe-me explicar como funciona essa minha maravilhosa televisão. Mas, primeiro, vocês sabem como funciona a televisão comum? É simples. Numa das extremidades, onde se capta a imagem, há uma grande câmera, e a gente começa a filmar alguma coisa. Os filmes são então despedaçados em milhões de pedacinhos tão pequenos que não dá para ver, e esses minúsculos pontos são atirados para o céu pela eletricidade. Ficam rodando no céu, rodando, até que de repente esbarram na antena do telhado de alguém. Então escorregam pelo fio que leva direto à televisão, correm de cá para lá até cada um dos milhões de pedacinhos se encaixar no lugar certo (como um quebra-cabeça) e pronto — a imagem aparece na tela...

— Não é bem assim... — interrompeu Miguel Tevel.

— Sou um pouco surdo do ouvido esquerdo, por isso me desculpe se não escuto tudo o que você diz — continuou o Sr. Wonka.

— Eu falei que não é bem assim que a coisa funciona! — gritou Miguel Tevel.

— Você é um bom menino, mas fala demais. Continuando... A primeira vez que vi uma televisão funcionando tive uma ideia incrível. Pensei: se dá para despedaçar uma imagem em milhões de pedaços e fazer com que voem pelos ares e depois se integrem outra vez, por que não fazer a mesma coisa com uma barra de chocolate? Por que não mandar para o ar bilhões de pedacinhos de uma barra de chocolate e fazê-la aparecer inteira do outro lado?

— Impossível — retrucou Miguel Tevel.

— Você acha? — perguntou o Sr. Wonka. — Então, veja só! Vou mandar uma barra do meu melhor chocolate de um lado ao outro da sala, pela televisão! Atenção! Tragam o chocolate!

Imediatamente, seis umpa-lumpas saíram carregando nos ombros a maior barra de chocolate que Charlie já tinha visto. Era do tamanho do colchão em que ele dormia.

— Tem que ser grande porque, quando a gente manda alguma coisa pela televisão, a imagem diminui. Você filma um homem grande e ele sai na tela do tamanho de um lápis, não é? Vamos. Todos prontos? *Não, não! Parem!* Você aí, Miguel Tevel, para trás. Está muito perto da câmera. Daí saem raios perigosos que poderiam desfazê-lo em milhões de pedacinhos em um segundo! É por isso que os umpa-lumpas estão protegidos por roupas espaciais. Assim está melhor! Pronto! Ligar!

Um umpa-lumpa puxou uma alavanca para baixo, provocando um raio ofuscante.

— O chocolate sumiu! — gritou vovô José, balançando os braços.

Ele tinha razão! A imensa barra de chocolate desaparecera sem deixar vestígio.

— Está a caminho. Seus milhões de pedacinhos estão voando pelo ar, por cima da nossa cabeça. Rápido! Venham até aqui!

O Sr. Wonka correu até a outra extremidade da sala onde estava a televisão, e todos o seguiram.

— Vejam a tela! — gritou ele. — Já vem vindo! Olhem!

A tela piscou e se acendeu. Bem no meio dela apareceu uma pequena barra de chocolate.

— Peguem! — gritou o Sr. Wonka, cada vez mais entusiasmado.

— Mas como? — perguntou Miguel Tevel, rindo. — É só uma imagem na tela!

— Charlie Bucket — ordenou o Sr. Wonka —, vá pegar o chocolate! Agarre-o!

Charlie esticou o braço, tocou a tela e, de repente, como por milagre, a barra de chocolate foi parar na sua mão. Ficou tão surpreso que quase a deixou cair.

— Pode comer — disse o Sr. Wonka —, vamos, coma tudo! É delicioso. É a mesma barra, que diminuiu no caminho, só isso!

— É absolutamente fantástico! É... é um milagre! — gaguejou vovô José.

— Imaginem quando eu começar a usar isso pelo país afora... Vocês em casa, vendo televisão, e de repente aparece um comercial, com uma voz dizendo: COMA OS CHOCOLATES WONKA. SÃO OS MELHORES DO MUNDO! SE NÃO ACREDITA, EXPERIMENTE UM *AGORA*! E aí é só estender a mão e pegar! Que tal a ideia, hein? — perguntou o Sr. Wonka.

— Incrível! — exclamou vovô José. — Vai transformar o mundo!

Miguel Tevel é transmitido pela televisão

Ao ver a barra de chocolate ser transmitida pela TV, Miguel Tevel ficou mais entusiasmado ainda do que vovô José.

— Mas, Sr. Wonka, dá para mandar *outras coisas* pelo ar, desse mesmo jeito? Cereais para o café da manhã, por exemplo?

— Ah, minha santa tia! Não fale dessa comida nojenta na minha frente. Sabe do que são feitos esses cereais? Daquelas raspinhas de madeira que se formam quando a gente aponta lápis.

— Mas, se a gente quisesse, daria para mandar pela TV, como o chocolate? — perguntou Miguel Tevel.

— Óbvio que daria!

— E gente? Dá para mandar uma pessoa viva de um lugar para outro, do mesmo jeito?

— *Uma pessoa*? Perdeu o juízo?! — exclamou o Sr. Wonka.

— Mas *daria* para fazer isso?

— Nossa, menino! Nem sei... Pode ser... É... acho que sim... é lógico que sim. Mas eu não arriscaria. Poderia ser desastroso...

Mas Miguel Tevel já tinha saído correndo. Assim que ouviu o Sr. Wonka dizer "acho que sim", virou-se e saiu correndo em direção à câmera:

— Olhem só para mim! Vou ser a primeira pessoa a ser "transmitida" pela TV!

— Não, não, não! — gritou o Sr. Wonka.

— Miguel! Pare! Volte! Você vai virar picadinho! — gritou a Sra. Tevel.

Mas não dava mais para segurar o Miguel Tevel. O menino correu direto para a alavanca da câmera, abrindo caminho entre os umpa-lumpas, aos empurrões.

— Até logo mais, minha gente! — gritou ele. E, empurrando a alavanca para baixo, mergulhou na luz brilhante das lentes poderosas.

Um raio ofuscante iluminou a sala. Depois, silêncio.

A Sra. Tevel avançou correndo... mas parou no meio da sala, olhando, atônita, para o lugar onde o filho tinha estado... escancarou a boca enorme e vermelha e gritou:

— Ele sumiu! Ele sumiu!

— Puxa vida, ele sumiu mesmo! — exclamou o Sr. Tevel.

O Sr. Wonka colocou a mão no ombro da Sra. Tevel.

— Vamos esperar pelo melhor — disse ele. — Vamos rezar para o menino sair inteiro do outro lado da coisa.

— Miguel! — gritou a Sra. Tevel, levando as mãos à cabeça. — Onde está você?

— Posso lhe dizer onde ele está — prontificou-se o Sr. Wonka. — Voando por cima da nossa cabeça, dividido em milhões de pedacinhos!

— Não fale assim! — choramingou a Sra. Tevel.

— Precisamos ver televisão. Ele pode aparecer a qualquer momento — animou o Sr. Wonka.

O Sr. e a Sra. Tevel, o vovô José e Charlie reuniram-se na frente da TV, ansiosos. Na tela não havia nada.

— Está demorando muito para voltar — disse o Sr. Tevel, enxugando o suor da testa.

— Ai, ai, ai, tomara que não fique faltando nenhuma parte dele — disse o Sr. Wonka.

— O que está querendo dizer? — perguntou o Sr. Tevel, zangado.

— Não quero alarmá-los, mas pode acontecer que só a metade dos pedacinhos seja transmitida à televisão. Aconteceu na semana passada. Não sei por que, mas só a metade de uma barra apareceu no vídeo.

A Sra. Tevel soltou um grito de horror:

— Então pode ser que só meio Miguel volte para nós?

— Esperemos que seja, pelo menos, a metade de cima — disse o Sr. Tevel.

— Parem! Olhem a tela! Alguma coisa está acontecendo! — exclamou o Sr. Wonka.

A tela começou a piscar.

Apareceram algumas ondas.

O Sr. Wonka ajustou um dos botões e as ondas sumiram. Devagar, muito devagar, a tela foi ficando cada vez mais brilhante.

— Está chegando! — disse o Sr. Wonka. — É ele mesmo!

— Está inteiro? — perguntou a Sra. Tevel.

— Não tenho certeza. Ainda é cedo para dizer — respondeu o Sr. Wonka.

Meio embaçado, no começo, mas tornando-se cada vez mais nítido, Miguel Tevel apareceu na tela. Estava de pé, acenando para o público, e com um sorriso que ia de uma orelha à outra.

— Mas ele está minúsculo! — exclamou o Sr. Tevel.

— Miguel! — gritou a Sra. Tevel — Você está bem? Inteirinho?

— Ele não vai crescer? — perguntou o Sr. Tevel.

— Fale comigo, Miguel. Diga alguma coisa! Diga que está bem! — pediu a Sra. Tevel.

Da tela saiu uma voz fininha, baixinha como um chiado de rato:

— Oi, mãe, oi, pai! Olhem só! A primeira pessoa transmitida pela televisão!

— Agarrem-no! — ordenou o Sr. Wonka. — Depressa!

A Sra. Tevel estendeu a mão e puxou para fora da tela a figura pequenininha de Miguel Tevel.

— Viva! — exclamou o Sr. Wonka. — Está inteiro! Não aconteceu nada!

— O senhor chama *isso* de inteiro? — zangou-se a Sra. Tevel, olhando o garoto do tamanho de um dedo que corria

pela palma da sua mão, empunhando seus revólveres. Não tinha mais do que 2,5 cm de altura.

— Ele encolheu! — disse o Sr. Tevel.

— Óbvio que encolheu — respondeu o Sr. Wonka. — O que o senhor esperava?

— Mas é horrível! — chorava a Sra. Tevel. — O que vamos fazer agora?

— Ele não pode voltar à escola. Vai ser esmagado! — soluçou o Sr. Tevel.

— Não vai conseguir *fazer nada*! — gritou a Sra. Tevel.

— Ah, posso sim! — disse a vozinha esganiçada do Miguel. — Ainda posso assistir à televisão!

— *Nunca mais!* — berrou o Sr. Tevel. — Vou jogar a televisão pela janela assim que chegar em casa. Chega de televisão!

Ao escutar isso, Miguel Tevel começou a ter um ataque de birra. Pulava na palma da mão da mãe, gritando e se esgoelando, tentando morder os dedos dela.

— Eu quero assistir TV! — guinchava ele. — Quero assistir TV! Eu quero! Eu quero!

— Espere. Deixe esse pirralho comigo! — disse o Sr. Tevel. Pegou o garoto, enfiou-o no bolso do paletó e colocou o lenço por cima. O bolso se remexia furiosamente, e dele saíam gritos e resmungos enquanto o prisioneiro tentava fugir.

— Ah, Sr. Wonka — implorou a Sra. Tevel —, o que vamos fazer para ele crescer?

O Sr. Wonka passou a mão pela barba, olhando pensativamente para o teto:

— Na verdade, acho que não vai ser fácil. Mas meninos pequenos são muito maleáveis e elásticos. Têm uma capacidade enorme de esticar. Podemos colocá-lo na máquina especial de testar a elasticidade do chiclete. Talvez ele volte ao tamanho normal.

— Obrigada, obrigada! — exclamou a Sra. Tevel.

— De nada, de nada, minha senhora.

— Quanto o senhor acha que ele vai esticar? — perguntou o Sr. Tevel.

— Talvez alguns quilômetros. Quem sabe? Mas vai ficar muito magrinho. Todo mundo fica magrinho quando estica — respondeu o Sr. Wonka.

— Como chiclete? — perguntou o Sr. Tevel.

— Exatamente.

— Quanto ele vai pesar? — perguntou a Sra. Tevel, ansiosa.

— Não tenho a menor ideia. Mas na verdade não importa, porque vai ser fácil engordá-lo de novo. É só ele tomar uma dose tripla do meu Chocolate Supervitaminado. O Chocolate Supervitaminado contém muitas vitaminas A e B. E também vitamina C, vitamina D, vitamina E, vitamina F, vitamina G, vitamina I, vitamina J, vitamina K, vitamina L, vitamina M, vitamina N, vitamina O, vitamina P, vitamina Q, vitamina R, vitamina T, vitamina U, vitamina V, vitamina W, vitamina X, vitamina Y e, acredite ou não, vitamina Z. Só não tem vitamina S, que dá enjoo, e vitamina H, que faz crescer chifres na testa, como um touro. Mas *tem* uma quantidade bem pequena da vitamina mais rara e mais mágica de todas, a vitamina Wonka.

— E o que essa vitamina vai fazer com ele? — perguntou o Sr. Tevel, muito aflito.

— Vai fazer os dedos dos pés ficarem do tamanho dos dedos das mãos...

— Ah, não! — choramingou a Sra. Tevel.

— Não seja boba. Isso é ótimo. Ele vai poder tocar piano com os pés — acrescentou o Sr. Wonka.

— Mas, Sr. Wonka...

— Chega de discussão, *por favor* — irritou-se o Sr. Wonka. Afastou-se e estalou os dedos três vezes no ar. Imediatamente um umpa-lumpa materializou-se ao seu lado. — Siga estas instruções — disse o Sr. Wonka, entregando ao umpa-lumpa um pedaço de papel. — O menino está no bolso do pai. Podem ir! Até logo, Sr. Tevel! Até logo, Sra. Tevel! E não fiquem tão preocupados! Todos saem na lavagem, sabem, todos eles...

Na extremidade da sala os umpa-lumpas ao redor da câmera gigante já batiam seus pequenos tambores e começavam a dançar ao ritmo da música.

— Já vão começar de novo. Não tem como impedir que cantem — disse o Sr. Wonka.

Charlie pegou a mão do vovô José e os dois ficaram ao lado do Sr. Wonka, no meio da sala comprida e brilhante, escutando os umpa-lumpas cantarem a seguinte canção:

Era e não era, que história maluca,
Será uma aventura ou uma arapuca?
Dos cinco do início da história
Só um vai obter a vitória.
Três já tomaram chá de sumiço.
Falta só um pra acabar o serviço.
Pois tem um sujeito que é um grande palhaço
E sempre se acha o bom do pedaço.
O tonto se chama Miguel Tevel,
Tem rima no nome e é um grande pastel.
Não lê, mal conversa, não pinta, não borda,
Não brinca de pique nem pula corda.
O tonto só tem uma grande paixão,

Só pensa e só fala em televisão.
Deixa a TV o dia inteiro ligada
E nem vê o que presta, só vê patacoada.
Papo com ele não dá pra levar,
Por falta de assunto já vou terminar.
O cara é um chato, não tem outro jeito,
Vai ter que ir pro ar, e eu acho bem feito.

Só sobrou Charlie

— Qual será a próxima sala? — perguntou o Sr. Wonka ao entrar no elevador. — Vamos depressa! Rápido! Quantas crianças sobraram?

Charlie olhou para vovô José, e, vovô José para Charlie.

— Ora, Sr. Wonka, só o meu Charlie.

O Sr. Wonka se virou e encarou Charlie.

Silêncio. Charlie ficou ali, quieto, segurando forte a mão do vovô José.

— Quer dizer que você foi o *único* que sobrou? — perguntou o Sr. Wonka, fingindo surpresa.

— Foi sim, senhor — sussurrou Charlie. — Só eu.

O Sr. Wonka de repente explodiu de entusiasmo.

— Mas, meu garoto, isto quer dizer que *você ganhou*!

Saiu correndo do elevador e apertou a mão de Charlie com tanta força que quase a arrancou.

— Meus *parabéns*! — exclamou o Sr. Wonka —, parabéns mesmo! Estou encantado! Não poderia ser melhor! Que maravilha! Desde o começo eu tinha o palpite de que você seria o vencedor! Muito bem, Charlie, muito bem! É ma-ra-vi-lho-so! Agora é que a alegria vai começar! Mas não podemos nos atrasar. Temos ainda menos tempo a perder agora do que antes! Imagine tudo o que temos que providenciar, as pessoas que temos que buscar! Mas ainda bem que temos esse grande elevador para nos ajudar. Entre depressa, Charlie. Isso! Agora eu que vou escolher o botão!

Os olhos azuis e brilhantes do Sr. Wonka se fixaram por um momento no rosto de Charlie. *Vai acontecer alguma maluquice*, pensou Charlie. Não estava com medo nem nervoso, apenas muito empolgado. Tanto quanto vovô José. O rosto do velho brilhava de contentamento ao observar os movimentos do Sr. Wonka, que tentava alcançar um botão no teto do elevador. Charlie e vovô José quase torceram o pescoço para ler o que estava escrito:

PARA CIMA E PARA FORA.

Para cima e para fora..., pensou Charlie. *Como será essa sala?*

O Sr. Wonka apertou o botão. As portas de vidro se fecharam.

— Segurem-se! — gritou ele.

E então... VUM! O elevador subiu como um foguete.

— Iupii! — gritou vovô José. Charlie se agarrava às pernas do avô e o Sr. Wonka segurava o cordão preso no teto. Foram subindo, subindo, subindo. Desta vez subiram direto, sem viradas e chacoalhões; Charlie escutava o barulho do ar lá fora enquanto o elevador subia cada vez mais depressa.

— Iupii! — gritou vovô José outra vez. — Iupii! Lá vamos nós!

— Mais depressa! — gritava o Sr. Wonka, batendo nas paredes do elevador com as mãos. — Mais depressa. Se não andar mais depressa, não vamos conseguir!

— Conseguir o quê? — gritou vovô José. — O que temos que conseguir?

— Ah, esperem e verão! — exclamou o Sr. Wonka. — Há anos quero apertar esse botão, e até hoje não o fiz! Que *vontade*! Tive vontade, sim! Mas eu não suportava a ideia de furar um buraco no teto da fábrica! Vamos lá, meninos. Para cima e para fora!

— O senhor não está querendo dizer... não está *querendo* dizer que esse elevador vai... — gaguejou vovô José.

— É exatamente isso! — respondeu o Sr. Wonka. — Espere e verá! Para cima e para fora!

— Mas..., mas... mas... é de vidro! — gritou vovô José. — Vai se despedaçar!

— Talvez — disse o Sr. Wonka, cada vez mais alegre —, mas é vidro grosso, então tudo bem!

O elevador subia cada vez mais depressa.

De repente, *CRASH!*, ouviram um barulhão lá em cima, e o vovô José gritou:

— Socorro! É o fim! Estamos fritos!

Animado, o Sr. Wonka dizia:

— Não estamos, não. Conseguimos! Saímos!

Na verdade, o elevador havia atravessado o teto da fábrica e estava subindo para o céu como um foguete. O sol brilhava através do vidro, e em cinco segundos alcançaram uma altura de trezentos metros.

— O elevador perdeu o controle! — gritou vovô José.

— Não tenha medo! — disse o Sr. Wonka, com calma, e apertou outro botão. O elevador parou e ficou pairando no ar, como um helicóptero, por cima da fábrica e da cidade, que se estendia lá embaixo como um cartão-postal. Olhando pelo chão de vidro em que pisavam, Charlie via as casinhas, as ruas e a neve que cobria tudo. Dava um pouco de medo pisar em chão de vidro, lá no céu. Parecia que eles estavam de pé em cima de nada.

— Tudo bem? — perguntou vovô José. — Como é que essa coisa se segura?

— Força-açúcar. Um milhão de força-açúcar! Olhem! — apontou o Sr. Wonka. — Lá estão as outras crianças! Estão voltando para casa!

As outras crianças voltam para casa

— Antes de mais nada, temos que descer e dar uma olhada nos nossos amiguinhos — disse o Sr. Wonka. Apertou um outro botão e o elevador desceu. Logo estavam planando bem sobre a entrada da fábrica.

Olhando para baixo, Charlie via as crianças e os pais num pequeno grupo, ainda dentro da fábrica.

— Só estou vendo três. Quem está faltando? — perguntou ele.

— Deve ser o Miguel Tevel, mas ele vai aparecer logo. Está vendo os caminhões? — perguntou o Sr. Wonka, mostrando vários caminhões cobertos, enormes, estacionados em fila.

— Estou vendo, sim. Para que servem?

— Você se lembra do que estava escrito nos Bilhetes Dourados? Cada criança terá um suprimento de doces, para a vida inteira. Haverá um caminhão para cada uma, cheio até o teto — lembrou o Sr. Wonka. — Ah, ah, lá vai o nosso amigo Augusto Glupe! Estão vendo? Acabou de entrar no primeiro caminhão, com o pai e a mãe!

— Tem certeza de que ele está bem? — perguntou Charlie, atônito. — Mesmo depois de entrar por aquele cano?

— Ele está muito bem — afirmou o Sr. Wonka.

— Ele está diferente — disse o Vovô José, olhando pela janela do elevador. — Era tão gordo. Agora está magro como um palito!

— Com certeza — disse o Sr. Wonka, rindo. — Ele foi espremido no cano, lembra? Olhem lá a Srta. Violeta Chataclete, a grande mascadora de chiclete! Parece que espremeram o suco dela. Fico muito satisfeito! Ela está com a cara muito saudável! Muito melhor do que antes!

— Mas o rosto dela está todo roxo! — gritou vovô José.

— Está mesmo. Quanto a isso, não temos o que fazer.

— Nossa! — gritou Charlie. — Vejam a coitada da Veroca Sal! E o Sr. Sal e a Sra. Sal! Cobertos de lixo!

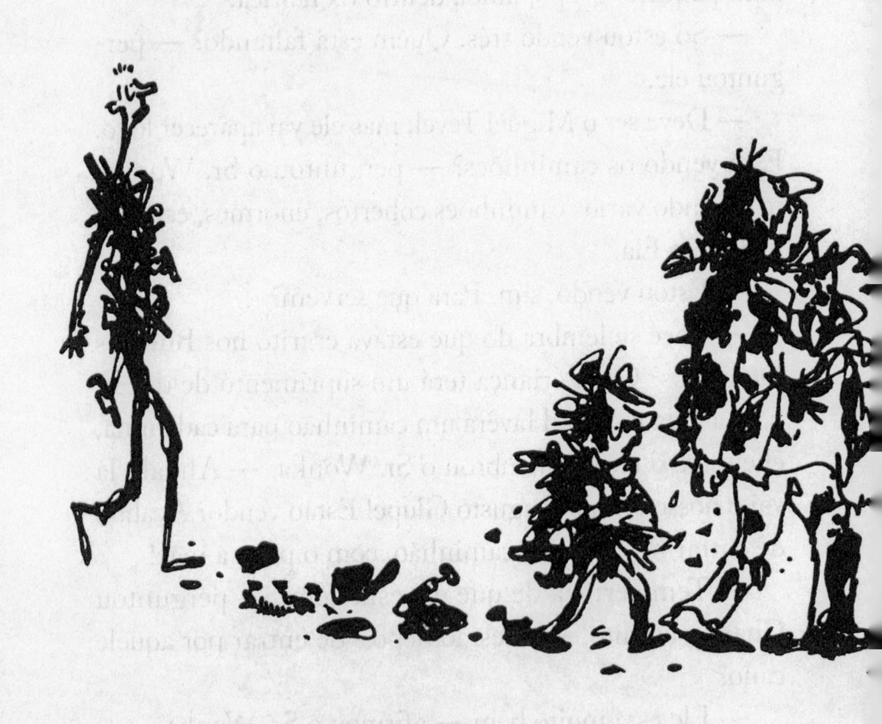

— E lá vem o Miguel Tevel! — disse vovô José. — Nossa! O que fizeram com ele? Está com mais de três metros de altura e magro como um arame!

— Ele passou na máquina de esticar chiclete e acho que exageraram um pouco. Ah, que gente mais descuidada!

— Que coisa horrível para ele! — suspirou Charlie.

— Horrível nada — disse o Sr. Wonka —, ele tem é muita sorte. Todos os times de basquete do país vão ficar atrás dele. Mas vamos esquecer essas crianças bobas. Tenho uma coisa muito importante para lhe dizer, meu querido Charlie.

Dizendo isso, o Sr. Wonka apertou outro botão e o elevador voltou a subir para o céu.

A Fábrica de Chocolate de Charlie

O imenso elevador de vidro estava pairando bem lá no alto, sobre a cidade. Dentro dele estavam o Sr. Wonka, vovô José e o pequeno Charlie.

— Como eu adoro a minha Fábrica de Chocolate! — disse o Sr. Wonka, olhando para baixo. Virou-se para Charlie com uma expressão muito séria. — Você também a adora, não é, Charlie? — perguntou.

— Muito! Acho que é o lugar mais maravilhoso do mundo!

— Fico feliz em ouvir isso — continuou o Sr. Wonka, mais sério ainda, encarando Charlie. — É verdade. Sinto-me feliz em saber disso e vou explicar por quê.

O Sr. Wonka inclinou a cabeça para o lado e as ruguinhas do seu sorriso apareceram nos cantos dos olhos.

— Veja, meu menino, resolvi dar a você este lugar. Assim que você tiver idade para administrá-la, a fábrica será sua.

Charlie arregalou os olhos. Vovô José abriu a boca, mas não saiu nenhuma palavra.

— É verdade. Estou lhe dando tudo — disse o Sr. Wonka, agora com um sorriso largo. — Você aceita, não é?

— Está *dando* a ele? — gaguejou vovô José. — O senhor deve estar brincando!

— Não estou. É a pura verdade.

— Mas... mas por que iria dar a fábrica ao meu Charlie?

— Escute — replicou o Sr. Wonka —, já sou um homem velho. Muito mais velho do que vocês imaginam. Não vou viver para sempre. Não tenho filhos nem família. Quem vai tomar conta da fábrica quando eu não conseguir mais fazê-lo? *Alguém* tem que mantê-la, nem que seja só pelos umpa-lumpas. É lógico que há milhares de pessoas inteligentes que dariam tudo para ficar com a fábrica, mas não quero esse tipo de pessoa. Não quero um adulto, que não me escutaria, não aprenderia nada e iria fazer as coisas do jeito dele e não do meu. Prefiro uma criança. Uma criança boa, sensata, carinhosa, a quem eu possa contar todos os meus segredos mais doces e preciosos, enquanto ainda estiver vivo.

— Então foi por isso que mandou os Bilhetes Dourados? — perguntou Charlie.

— Exatamente! — disse o Sr. Wonka. — Resolvi convidar cinco crianças para virem à fábrica e aquela de quem eu gostasse mais no fim do dia seria a vencedora!

— Mas, Sr. Wonka — gaguejou o velho José —, quer dizer que o senhor está dando mesmo esta fábrica enorme ao Charlie? Afinal de contas...

— Não há tempo para discussão! — exclamou o Sr. Wonka. — Precisamos buscar o resto da família imediatamente. O pai de Charlie, a mãe e quem estiver por perto. Todos podem morar na fábrica de agora em diante. Todos podem ajudar o Charlie até ele crescer o bastante para conseguir administrar a fábrica sozinho. Onde é que você mora, Charlie?

Charlie olhou pelo vidro as casas cobertas de neve.

— Ali. Aquela casinha bem no fim da cidade, aquela bem pequena!

— Estou vendo — disse o Sr. Wonka. Apertou mais alguns botões e o elevador foi em direção à casa de Charlie.

— Acho que minha mãe não virá conosco — disse Charlie, triste.

— Por que não?

— Porque ela não vai deixar a vovó Josefina, a vovó Jorgina e o vovô Jorge.

— Mas eles têm que vir também.

— Não podem — disse Charlie. — Eles são muito velhos e não saem da cama há vinte anos.

— Traremos a cama junto — disse o Sr. Wonka. — Neste elevador cabe muito bem uma cama.

— Não dá para tirar aquela cama de casa. Não passa pela porta — informou vovô José.

— Não desanimem! Nada é impossível. Espere e verá.

O elevador estava sobre o telhado da casinha dos Bucket.

— O que você vai fazer? — perguntou Charlie.

— Vou buscá-los — disse o Sr. Wonka.

— Como? — perguntou vovô José.

— Pelo telhado — disse o Sr. Wonka, apertando outro botão.

— Não! — gritou Charlie.

— Pare! — gritou vovô José.

CRASH!

O elevador atravessou o telhado e entrou no quarto dos velhos. Um montão de pó, com telhas quebradas, pedaços de madeira, baratas, aranhas, tijolos e cimento choveu sobre os três velhos que estavam na cama, e todos pensaram que fosse o fim do mundo. Vovó Jorgina desmaiou, vovó Josefina deixou cair a dentadura, vovô Jorge enfiou a cabeça debaixo do cobertor e o Sr. e a Sra. Bucket vieram correndo da sala.

— Socorro! — gritou Vovó Josefina.

— Calma, minha querida esposa. Somos nós — disse vovô José, saindo do elevador.

— Mamãe! — gritou Charlie, caindo nos braços da Sra. Bucket. — Mamãe, mamãe! Veja o que aconteceu!

Vamos todos morar na fábrica do Sr. Wonka e ajudá-lo a tomar conta dela e ele me deu tudo e... e... e...

— Que história mais absurda é essa? — perguntou a Sra. Bucket.

— Olhe só a nossa casa! Está em ruínas! Acabou! — disse o Sr. Bucket.

— Meu senhor — disse o Sr. Wonka, dando um passo à frente e apertando a mão do Sr. Bucket. — Estou muito feliz em conhecê-lo! Não se preocupe com a casa. De agora em diante não irão precisar dela.

— Quem é esse homem desmiolado? — gritou vovó Josefina. — Podia ter matado todos nós.

— É o Sr. Wonka em pessoa — disse vovô José.

Levou um bom tempo para vovô José e Charlie explicarem a todo mundo exatamente o que havia acontecido naquele dia. Mesmo assim, todos se recusaram a ir para a fábrica no elevador.

— Prefiro morrer na minha cama! — berrou vovó Josefina.

— Eu também! — concordou vovó Jorgina.

— Eu me recuso a ir! — anunciou vovô Jorge.

O Sr. Wonka, vovô José e Charlie, sem dar atenção à gritaria, enfiaram a cama no elevador. Puxaram o Sr. e a Sra. Bucket para dentro e entraram também. O Sr. Wonka apertou um botão. As portas se fecharam. Vovó Jorgina deu um berro. O elevador foi subindo, passou pelo buraco do teto e entrou no céu azul.

Charlie subiu na cama e tentou acalmar os três velhos, petrificados de medo.

— Por favor, não se assustem. É muito seguro! Estamos indo para o lugar mais bonito do mundo!

— Charlie está certo — disse vovô José.

— Vamos ter o que comer? — perguntou vovó Josefina. — Estou morta de fome. A família inteira está morrendo de fome!

— O que *comer*? — disse Charlie, rindo. — Esperem só para ver!

Este livro foi composto na tipografia Adobe Caslon Pro,
em corpo 12/16, e impresso em
papel off-white no Sistema Cameron da
Divisão Gráfica da Distribuidora Record.